Ölümsüz Aile

Natalie Babbitt

NATALIE BABBITT
ÖLÜMSÜZ AİLE

ÖZGÜN ADI
TUCK EVERLASTING

Sertifika No: 11213

ÇEVİREN
BÜLENT O. DOĞAN

EDİTÖR
NEVİN AVAN ÖZDEMİR

1. BASIM: MAYIS 2002
25. BASIM: HAZİRAN 2013, İSTANBUL
Genel Yayın Numarası: 594

ISBN 978-975-458-349-6

BASKI
KİTAP MATBAACILIK SAN. TİC. LTD. ŞTİ.
(0212) 482 99 10
DAVUTPAŞA CADDESİ NO: 123 KAT: 1
TOPKAPI İSTANBUL
Sertifika No: 16053

TÜRKİYE İŞ BANKASI KÜLTÜR YAYINLARI
İSTİKLAL CADDESİ, MEŞELİK SOKAK NO: 2/4 BEYOĞLU 34433 İSTANBUL
Tel. (0212) 252 39 91
Fax. (0212) 252 39 95
www.iskultur.com.tr

Ölümsüz Aile

Natalie Babbitt

Çeviren
Bülent O. Doğan

GİRİŞ

Ağustosun ilk haftası, tıpkı dönerken aniden duruveren bir dönmedolabın en tepesindeki koltuk gibi, yaz mevsiminin ve upuzun senenin doruğunda, adeta asılı duruyor. Önceki haftalar, çiçek kokulu ilkbaharla birlikte zirveye doğru ağır ağır yükseldi. Gelecek haftalarsa, kışın dondurucu soğuklarına doğru giderek alçalacak. Ama ağustosun ilk haftası kıpırtısız ve sıcak. Her zaman böyledir. Hatta merak uyandıracak kadar sessizdir, şafaklar bembeyazdır, ay öfkeyle parıldar, gün batımı rengarenk bir örtüye döner. Çoğu kez, geceleri şimşek çakar, ama can dostlarından uzakta, yalnız başına titreşir durur; yıldırımlar düşmez, ferahlatıcı yağmurlar yağmaz. Bu günler tuhaf ve boğucudur, bayıltacak kadar sıcaktır, insan bu günlerde daha sonra pişman olacağı işler yapar.

İşte, evvel zaman içinde, kalbur saman içinde değilse bile, bu günlerden birinde, üç şey oldu ve ilk başta aralarında hiçbir ilişki yokmuş gibi görünüyordu.

Şafak sökerken Mae Tuck, Treegap kasabasının kıyısındaki koruya gitmek için atıyla yola çıktı. Her on yılda bir yaptığı gibi oğulları Miles ve Jesse'yi görmek için gidiyordu koruya.

Öğleye doğru, Treegap korusunun sahibinin kızı Winnie Foster daha fazla dayanamayacağını anlayarak, nihayet evden kaçma konusunu düşünmeye karar verdi.

Ve gün batımında Foster'ların kapısında bir yabancı göründü. Birini arıyordu, ama kim olduğunu söylemedi.

Aralarında hiçbir bağlantı yokmuş gibi görünüyor.

Ama bazı olaylar tuhaf bir şekilde birbirleri ile bağlantılı olabilirler. Koru tam merkezde, tekerleğin poyrasındaydı. Her tekerleğin bir poyrası vardır. Dönme dolabın da bir poyrası olur, güneş de mevsimlerin poyrasıdır. Poyra sabit noktadır ve en iyisi ona hiç dokunmamaktır, çünkü poyra olmazsa tekerleğin parçalarını bir arada tutacak bir şey kalmaz. Ama insanlar bazen bu gerçeğin farkına çok geç varırlar.

I

Treegap'a giden yol, uzun zaman önce, en azından çok huzurlu olduklarını söyleyebileceğimiz bir inek sürüsü tarafından açılmıştır. Çeşitli kavisler ve dönüşlerle, inişler ve çıkışlarla küçük bir tepenin eteklerine tırmanır, sonra yeniden aşağıya doğru uzanarak arıların işgalindeki bir yonca tarlasının kenarından biraz ilerler ve bir çayırın kıyısından devam eder. Burada yolun kenarları gözden yitmeye başlar. Sanki ineklere orada durup sakin sakin otlamaları gerektiğini hatırlatmak için genişleyip yayılmıştır, artık ineklerin geviş getirme ve dalgın dalgın sonsuzluğun hayalini kurma zamanı gelmiştir. Biraz ileride yol yeniden başlar ve nihayet koruya varır. Ama daha ilk ağaçların gölgesine ulaşır ulaşmaz sert bir dönüş yapar ve bu kez, nereye gideceğine karar verecek aklı varmış gibi, korunun çevresinden dolaşır.

Koruyu geçtikten sonra ferahlık duygusu kaybolmaya başlar. Artık yol ineklerin yolu değildir. Onun yerine birdenbire insanların malı haline gelivermiştir. Burada güneş kızgın kızgın parıldar, toz bulutları oradan oraya gezinir; düzensiz, terk edilmiş yol kenarlarında cılız otlar biter. Sol tarafta ilk evi görürsünüz, "Bana dokunmayın," der gibi duran küp şeklinde bir evdir bu, bahçesindeki otlar özenle biçilmiştir ve çevresindeki bir metre boyunda demirden sağlam parmaklıklar açıkça "Durma, devam et – seni burada istemiyoruz," demektedir. Böylece yol boynunu büküp devam eder; yol uzadıkça evlerin sayısı artar, ama düşmanlıkları azalır. Hapishane ve darağacı dışında kasabanın öyle dikkate değer bir yanı yoktur. Yalnızca ilk ev önemlidir; ilk ev, yol ve koru.

Koru biraz tuhaf bir yerdir. Eğer ilk evin görüntüsü size geçip gitmenizin daha doğru olacağını söylüyorsa, koruyu görünce de aynı şeyi yapmanız gerektiğini hissedersiniz, ama bu kez neden farklıdır. Ev o kadar kibirli durmaktadır ki geçerken gürültü yapmak geçer içinizden, hatta belki bir iki taş atmak istersiniz. Ama korunun uykulu, öte dünyaya ait bir görünüşü vardır, öyle ki yanından geçerken alçak sesle konuşmak zorunda hissedersiniz kendinizi. En azından inekler öyle yaparlar: "Bırakın huzurla uyusun, onu rahatsız etmeyelim."

İnsanlar da böyle düşünür mü düşünmez mi, söylemek zor. Belki bazıları düşünmüştür. Ama insanların çoğu korunun çevresinden dolaşırlar, çünkü yol öyle gitmektedir. Korunun içinden yol geçmez. Zaten insanlar başka bir sebepten daha uzak dururlar korudan; bana dokunmayın diyen evde yaşayan Fosterlara aittir koru, demir parmaklıkların dışında olmasına ve kolayca içine girilebilmesine karşın, onların özel mülküdür.

Aslında biraz düşünürseniz, bir toprak parçasının sahibinin olması tuhaf bir şeydir. Kaç metre derine kadar sahip olabilirsiniz ki? Eğer bir toprak parçasının sahibiyseniz, aşağıya doğru daralıp dünyanın merkezine ulaşıncaya kadar olan kısım sizin mi olur? Yoksa bir toprak parçasına izinsiz girmenin ne demek olduğundan habersiz solucanların yaşadığı kısmın üzerindeki incecik tabakaya mı sahip olabilirsiniz?

Ne olursa olsun, koru toprağın üzerinde olduğundan –elbette kökleri hariç– bana dokunmayın diyen evin içinde yaşayan Fosterlar tarafından satın alınmıştır ve en küçük yaprağına kadar onlara aittir; oraya hiç gitmemişlerse, ağaçların arasında hiç dolaşmamışlarsa, bu onların bileceği iştir. Evin tek çocuğu Winnie de oraya hiç gitmemiştir, ama iş olsun diye parmaklığın demirlerini elindeki çubukla takırdatırken bahçenin içinden seyrettiği olmuştur. Korunun içinde ne olduğunu hiç merak etmemiştir. Eğer bir şeye doğduğunuzdan beri sahipseniz ilginizi çekmez, ancak başkasınınsa ilginç gelir size.

Zaten, birkaç dönümden ibaret cılız ağaçların neresi ilginç olabilir ki? Güneş ışınlarıyla yer yer delinmiş bir loşluk, bir sürü sincap ve kuş, toprağın üzerinde kalın ve nemli bir şilte gibi uzanan dökülmüş yapraklar, pek sevimli olmasa da tanıdık şeyler – örümcekler, dikenler ve tırtıllar.

Korunun yalnız bırakılmasının gerçek sorumlusu ineklerdir; neler yapabileceklerini bilecek kadar akıllı olmamaları aslında doğanın bilgeliğinin bir işareti sayılmalıdır. Eğer korunun çevresinden dolaşacaklarına içinden geçselerdi, insanlar da peşlerinden gideceklerdi. Er ya da geç insanlar korunun tam ortasındaki dev dişbudak ağacını fark edeceklerdi, sonra bir gün o ağacın kökleri arasından çıkan küçük pınarı, çakıl taşlarıyla gizlenmiş olmasına rağmen bulacaklardı. İşte o zaman öyle büyük bir felaket olurdu ki; bu yaşlı ve yorgun dünya, ateşten çekirdeğine kadar tir tir titrerdi.

II

İşte ağustostosun ilk haftasına rastlayan o gün, Mae Tuck şafakla beraber uyandı ve bir süre tavandaki örümcek ağlarını seyretti. Sonunda yüksek sesle şöyle dedi: "Çocuklar yarın eve gelecekler!"

Hemen yanında sırtüstü uzanan kocası kıpırdamadı. Hâlâ mışıl mışıl uyuyordu ve gün içinde yüzünü gölgeleyen sıkıntı çizgileri gevşeyip kaybolmuştu. Hafifçe mırıldandı, dudaklarının kenarları bir an için gülümser gibi yukarı kıvrıldı. Uyanıkken neredeyse hiç gülümsemezdi Angus.

Mae yatakta doğrulup oturdu ve sabırla kocasına baktı. "Çocuklar yarın eve gelecekler," diye tekrarladı, bu kez biraz sesini yükselterek.

Angus birden uyandı ve yüzündeki gülümseme kayboldu. Gözlerini açtı. "Neden uyandırdın beni," diye içini çekti. "Yine o rüyayı görüyordum, hani hepimiz cennetteymişiz ve Treegap'a hiç gitmemişiz."

Mae oturduğu yerde kaşlarını çattı; duygulu, yuvarlak bir yüzü ve sakin kahverengi gözleriyle tostoparlak bir kadındı. "Sürekli o rüyayı görmenin ne faydası var ki?" dedi. "Nasıl olsa hiçbir şey değişmeyecek."

"Bunu her gün hatırlatıyorsun, zaten," dedi Angus, ona sırtını dönerek. "Ne yapayım, rüyalarımı kontrol edemem ya."

"Belki haklısın," dedi Mae. "Ama, yine de bugüne kadar alışmış olmalıydın."

Angus esnedi. "Ben uyuyorum," dedi.

"Ben kalkıyorum," dedi Mae. "Atı alacağım ve onları görmek için koruya gideceğim."

"Kimleri görmek için?"

"Çocuklar, Angus! Oğullarımız. Onları görmek için atla koruya gideceğim."

"Gitmesen iyi olur," dedi Angus.

"Biliyorum," dedi Mae, "ama burada oturup beklemeye dayanamıyorum. Ne de olsa on yıldır gitmedim Tregap'a. Kimse beni hatırlamaz. Günbatımında gidip hemen koruya girerim. Kasabaya hiç uğramam. Zaten beni gören olursa da tanıyamaz. Daha önce de kimse tanıyamamıştı, öyle değil mi?"

"Sen bilirsin, o zaman," dedi Angus, ağzı yastığa gömülü olarak. "Ben uyuyorum."

Mae Tuck yataktan kalktı ve giyinmeye başladı: Üst üste üç tane iç etekliği, kocaman cebi olan pas rengi bir etek, eski püskü bir pamuklu ceket ve kararmış bir broşla uçlarını göğsünde birleştirdiği el örgüsü bir şal. Giyinirken çıkardığı sesler Angus'a o kadar tanıdık geliyordu ki, gözlerini bile açmadan, "Yaz ortasında şalı ne yapacaksın?" dedi.

Mae bu uyarıyı duymazdan geldi. "Aklım sende kalacak. Yarın akşama kadar dönemeyiz biz," dedi.

Angus yatakta döndü ve başını kaldırıp acıyla baktı. "Başıma ne gelebilir ki?" dedi.

"Doğru ya," dedi Mae. "Hep unutuyorum."

"Ben unutmuyorum," dedi Angus. "Haydi güle güle." Sonra hemen uykuya daldı.

Mae yatağın kenarına oturdu ve eskilikten incelip yumuşamış, nasıl olup da hâlâ dağılmadığına hayret edeceğiniz deri botlarını ayağına geçirdi. Sonra kalktı ve yatağın yanındaki komodinden küp şeklinde bir cisim aldı; üzerinde gül ve zambak desenleri olan bir müzik kutusu. Sahip olduğu en sevimli şey oydu ve hiç yanından ayırmazdı. Parmakları kutunun altındaki kurma koluna gitti, ama Angus'un uyuduğunu görerek başını iki yana salladı, küçük kutuyu hafifçe okşadıktan sonra cebine koydu. En son, geniş kenarları eskiyip sarkmış mavi hasır şapkasını takıp kulaklarının altına kadar çekti.

Ama, şapkayı takmadan önce griye çalan kahverengi saçlarını tarayıp ensesine topuz yaptı. Aynaya bile bakmadan çabucak ve ustalıkla yaptı bunu. Komodinin üzerinde duvara dayalı duran bir aynası olmasına rağmen, Mae Tuck'ın aynaya ihtiyacı yoktu. Aynaya bakınca ne göreceğini çok iyi biliyordu ve aksini görmekten çok uzun zaman önce sıkılmıştı. Çünkü Mae Tuck, kocası, oğulları Miles ve Jesse seksen yedi yıldır hep aynı görünüyorlardı.

III

Ağustosun ilk haftasına rastlayan aynı gün öğle vakti, Winnie Foster parmaklığın hemen ardındaki sert otların üzerinde oturuyordu. Birkaç metre ilerde yolun ortasında duran kocaman kara kurbağasına şöyle dedi: "Ama yapacağım, göreceksin. Belki yarın ilk iş olarak, herkes uyurken."

Kurbağanın onu dinleyip dinlemediğini anlamak zordu. Aslında, dinlemiyorsa da hakkı vardı. Zaten yeterince sıcak olan bir günün neredeyse en kavurucu saatinde Winnie parmaklığa yaklaşmış ve kurbağayı hemen fark etmişti. Yolun üzerinde sıcakta asılı gibi duran, çıldırmış sineklerden oluşan durgun bir bulut dışında görünürdeki tek canlı oydu. Winnie parmaklığın dibinden birkaç çakıl taşı bulmuştu, hislerini ifade etmenin başka bir yolunu bulamadığı için, taşlardan birini kurbağaya fırlatmıştı. Iskalamıştı tabii, zaten isabet ettirmek istememişti, ama bu oyunu eğlenceli bulmuş ve sinek bulutunun içinden kurbağaya doğru çakıl taşları göndermeye devam etmişti. Sinekler, aralarından geçen taşları fark etmeyecek kadar kendilerinden geçmişlerdi, taşların hiçbiri hedefini bulmadığından kurbağa da çömeldiği yerde tek bir hareket bile yapmadan yüzünü ekşitmeye devam ediyordu. Belki Winnie'ye gücenmişti. Belki de yalnızca uyuyordu. Ne olursa olsun, Winnie cephanesini tükettiğinde ve oturup ona dertlerini anlatmaya başladığında başını çevirip bakmadı bile.

"Dinle beni, bay kurbağa," dedi Winnie, kollarını parmaklıktan geçirip dışarıdaki otları amaçsızca yolarken. "Artık daha fazla dayanamayacağımı hissediyorum."

O anda evin ön cephesindeki pencerelerden biri açıldı ve ince bir ses –büyükannesi– bağırdı: "Winifred! O pis otların üzerinde oturma. Ayakkabılarını ve çoraplarını kirleteceksin."

Sonra daha sert bir ses –annesi– devam etti: "Hemen içeri gir, Winnie. Çabuk ol. Yoksa başına güneş geçecek. Gel de öğle yemeğini ye."

"Gördün mü?" dedi Winnie kurbağaya. "İşte bunu anlatmaya çalışıyordum. Hep böyle oluyor. Bir kız ya da erkek kardeşim olsa uğraşacak birileri daha olurdu. Ama, gördüğün gibi yalnızca ben varım. Sürekli izlenmekten yoruldum. Artık kendim olmak istiyorum." Alnını parmaklığa dayadı ve kısa bir sessizliğin ardından dalgın dalgın konuşmaya devam etti: "Ne yapacağımdan tam olarak emin değilim, ama ilginç bir şey yapmalıyım – sadece benim yaptığım bir şey olmalı. Dünyayı biraz değiştirecek bir şey olmalı. Başlangıç olarak, adımı değiştirebilirim, sık sık söylendiğinde beni sıkmayacak bir isim bulmalıyım. Hatta bir hayvan besleyebilirim. Belki bir sürü otla doldurduğum sevimli bir kafeste besleyebileceğim senin gibi büyük, yaşlı bir kara kurbağası, veya..."

Kurbağa hafifçe kıpırdayıp gözlerini kırptı. Kocaman bacaklını gerdi ve ağır, tombul gövdesiyle beş on santim uzağa zıpladı.

"Galiba haklısın," dedi Winnie. "O zaman sen de benim gibi olursun. Neden bir kafese kapatılmayı kabul edesin ki? Keşke senin yerinde ben olsaydım, öyle dışarıda dolaşıp canımın istediğini yapsaydım. Tek başıma bahçeden dışarı çıkmama bile izin vermiyorlar, biliyor musun? Burada böyle oturursam hiçbir zaman önemli işler başaramam. Herhalde evden kaçsam daha iyi olacak." Burada sustu ve kurbağanın bu çılgınca fikre nasıl bir tepki vereceğini görmek için üzgün üzgün baktı, ama kurbağa hiç oralı olmadı. "Bunu yapacak kadar cesur olmadığımı sanıyorsun, değil mi?" dedi suçlar gibi. "Ama yapacağım, göreceksin. Belki yarın ilk iş olarak, herkes uyurken."

Az önce pencereden gelen sert ses yine duyuldu: "Winnie!"

"Tamam yaa! Geliyorum işte!" diye bağırdı öfkeyle, sonra telaşla ekledi: "Şey, hemen geliyorum anneciğim." Ayağa kalktı, çoraplarına yapışan ot parçalarını silkeledi.

Artık sohbetin sona erdiğini gören kurbağa yeniden kıpırdandı ve hantal zıplayışlarla koruya doğru gitmeye başladı. Winnie arkasından baktı. "Git bakalım, kurbağa," dedi. "Göreceksin. Hele bir sabah olsun."

IV

Aynı uzun günün akşamında, bir yabancı kasaba tarafından ağır ağır yürüyerek geldi ve Fosterların bahçe kapısında durdu. Winnie yine bahçedeydi ve bu kez ateş böceklerinin peşindeydi, ilk başta adama dikkat etmedi. Ama adam birkaç saniye onu izledikten sonra, "İyi Akşamlar!" diye seslendi.

Bahçe kapısındaki adam bayağı uzun ve zayıftı. Sivri çenesi rahiplerinki gibi seyrek bir sakalla son buluyordu, ama üzerindeki takım elbise limon sarısıydı ve alacakaranlıkta hafifçe parlıyordu. Bir elinde siyah bir şapka vardı, Winnie ona doğru yaklaşırken adam diğer elini başına götürüp gri saçlarını düzeltti. "Evet küçükhanım," dedi kaygısızca. "Ateş böceği avına çıkmış olmalısın."

"Evet," dedi Winnie.

"Yaz akşamlarını geçirmek için ne hoş bir eğlence," dedi adam neşeyle. "Çok zevklidir. Senin yaşındayken ben de yapardım. Ama bu çok çok uzun zaman önceydi tabii." İncecik uzun parmaklarıyla aldırmamasını işaret ederek güldü. Adamın upuzun gövdesi sürekli hareket ediyordu; kâh ayağıyla yere vuruyor kâh omuzlarını oynatıyordu. Sanki olduğu yerde titreyip duruyordu. Ama aynı zamanda özenle yapılmış bir kuklanın zarafeti vardı üzerinde. Gerçekten de alacakaranlıkta oraya asılmış bir kukla gibi görünüyordu. Ama her ne kadar adamın görüntüsüyle büyülenmiş olsa da, Winnie ansızın büyük babasının cenazesi dolayısıyla evin kapısına astıkları simsiyah kurdeleleri hatırladı. Kaşlarını çatıp adama biraz daha yakından baktı. Ama adamın gülümsemesi gayet dostça ve yatıştırıcıydı.

"Bu sizin eviniz mi?" dedi adam kollarını kavuşturup bahçe kapısına yaslanarak.

"Evet," dedi Winnie. "Babamı mı görmek istemiştiniz?"

"Belki biraz sonra," dedi adam. "Ama önce seninle konuşmak istiyorum. Sen ve ailen uzun zamandan beri mi burada yaşıyorsunuz?"

"Ah, evet," dedi Winnie. "Biz her zaman burada yaşadık."

"Her zaman," dedi adam yumuşak bir sesle.

Bu bir soru değildi, ama Winnie yine de açıklama ihtiyacı hissetti. "Elbette her zaman değil, ama buraya insanlar geldiğinden beri. Büyükannem burada doğmuş. Söylediğine göre burada hep ağaçlar varmış, burası kocaman bir ormanmış ama sonra kesile kesile sadece şu koru kalmış geriye."

"Anlıyorum," dedi adam sakalını sıvazlayarak. "Öyleyse buradaki herkesi ve yaşanan her şeyi bilirsiniz."

"O kadar değil," dedi Winnie. "En azından ben bilmem. Neden sordunuz?"

Adam kaşlarını kaldırdı. "Ah," dedi, "Ben birilerini arıyorum. Bir aileyi."

"Ben pek kimseyi tanımam," dedi Winnie omzunu silkerek. "Ama babam tanıyor olabilir. Ona sorabilirsiniz."

"Hiç kuşkum yok," dedi adam. "Eminim sorabilirim."

O anda evin kapısı açıldı ve çimlere vuran ışığın içinde büyükannesi göründü. "Winifred? Kiminle konuşuyorsun orada?"

"Bir amca, büyükanne," diye seslendi Winnie. "Birini aradığını söylüyor."

"Ne dedin?" dedi yaşlı kadın. Eteklerini toplayıp bahçe kapısına doğru yürüdü. "Ne arıyormuş dedin?"

Parmaklığın öbür tarafındaki adam hafifçe eğilip selam verdi. "İyi akşamlar, hanımefendi," dedi. "Böylesine sağlıklı olmanız ne kadar güzel."

"Neden sağlıklı olmayacakmışım?" diye terslendi büyükanne. Gözlerini kısarak gittikçe azalan ışıkta adamı seçmeye çalıştı. Adamın limon sarısı takım elbisesi onu şaşırtmışa benziyordu, gözlerini iyice kısıp şüpheyle baktı.

"Sizi tanıdığımı sanmıyorum. Kimsiniz? Ne istiyorsunuz?"

Adam bu soruların ikisine de cevap vermedi. "Bu genç hanım uzun süredir burada yaşadığınızı söyledi, ben de buralarda oturan herkesi tanıyorsunuzdur diye düşündüm," dedi.

Yaşlı kadın başını iki yana salladı. "Herkesi tanımıyorum," dedi "tanımak da istemiyorum. Karanlıkta durup böyle şeyleri yabancılarla konuşmak da istemiyorum. Winifred de istemiyor. Bu yüzden..."

Birden sustu. Alacakaranlıkta cırcırböceklerinin sesini ve ağaçların hışırtısını bastırarak kendilerine ulaşan, beklenmedik bir müzik sesi duydular ve üçü birden sesin geldiği yere, yani koruya baktılar. Çınlayarak çalan kısacık bir melodiydi bu, birkaç saniye sonra da kesiliverdi.

"Tanrım!" dedi Winnie'nin büyükannesi, gözleri fal taşı gibi açılmıştı. "Yıllar sonra geri döndüler!" Sarı elbiseli adamı tamamen unutarak buruşuk ellerini göğsünde birleştirdi. "Duydun, değil mi Winifred? İşte bu oydu. Sana bahsettiğim orman perilerinin müziği. Bunu en son duyduğumdan bu yana ne kadar uzun zaman geçti, bir bilsen. Sen bunu ilk defa duyuyorsun, değil mi? Hadi gidip babana söyleyelim!" Winnie'nin elinden tuttu ve eve girmek için arkasını döndü.

"Bekleyin!" dedi bahçe kapısındaki adam. Duruşunu sertleştirmiş sesine bir canlılık gelmişti. "Bu müziği daha önce duyduğunuzu mu söylediniz az önce?"

Ama, adam daha cevabını alamadan müzik yeniden başladı ve hepsi birden durup dinlediler. Bu sefer o kısa melodi, ardı ardına üç kez çaldı.

"Müzik kutusundan çıkıyormuş gibi," dedi Winnie ses kesildiğinde.

"Saçmalama. Orman perileri çalıyor!" diye heyecanla bağırdı büyükannesi. Sonra bahçe kapısındaki adama döndü. "Şimdi izninizi istemek zorundayız." Kapının kilitli olduğundan emin olmak için mandalı kontrol etti, Winnie'nin elini yeniden tutarak eve girdi ve kapıyı arkasından sertçe kapattı.

Ama sarı elbiseli adam daha uzun süre gözü koruda, ayağını sinirli sinirli yere vurarak beklemeye devam etti. Güneşin son ışıkları da gökyüzünden silindiğinde ve alacakaranlık geceye dönüşmeye başladığında adam hâlâ orada duruyordu, şimdi gündüzün son kalıntıları her şeyin rengini soldurmuş –çakıl taşları, tozlu yol, adamın kendisi– bulanık bir laciverde boyamıştı.

Sonra ay yükseldi. Adam birden kendine gelerek iç geçirdi. Yüzünde huzurlu bir ifade vardı. Şapkasını taktığı sırada ay ışığında uzun parmakları çok ince ve solgun görünüyordu. Yürümeye başladı ve biraz sonra karanlık yolda gözden yitti, yürürken ıslıkla korudan gelen melodiyi çalıyordu.

V

Winnie ertesi sabah erkenden uyandı. Güneş doğudan yeni görünmüştü ve evin içinde çıt çıkmıyordu. Gece yatmadan önce verdiği kararı hatırladı; bugün evden kaçmayacaktı. "Zaten, nereye gidebilirim ki?" diye sordu kendi kendine. "Buradan başka bir yerde olmak istemiyorum." Ama zihninin başka bir köşesinde, en eski korkularının bulunduğu köşesinde yatan bir neden daha vardı evde kalmasını sağlayan; tek başına uzaklaşmaya korkuyordu.

Tek başına olmaktan, önemli işler yapmaktan bahsetmek başka bir şeydir, önüne fırsat çıktığında hemen değerlendirmeye bakmak başka bir şey. Okuduğu hikâyelerdeki kahramanlar hiç düşünmeden maceralara atılırlardı, ama gerçek hayat – gerçek dünya tehlikeli bir yerdi. İnsanlar sürekli hatırlatıyorlardı bunu Winnie'ye. Yanında onu koruyacak biri olmadan başaramazdı. Bunu da sürekli hatırlatıyorlardı. Tam olarak neyi başaramayacağını kimse söylemiyordu. Ama sormasına gerek yoktu. Kendi hayal gücü onu yeterince korkutuyordu zaten.

Korktuğunu kabul etmek zorunda kaldığı için yüreği burkuluyordu. Kurbağayı hatırlayınca daha da huzursuz oluyordu. Peki kurbağanın yine parmaklığın dışında olduğunu görürse ne olacaktı? Ya kurbağa kıs kıs gülerse, Winnie'nin bir korkak olduğunu düşünürse, o zaman ne olacaktı?

Sonunda bir karar verdi, hemen o an dışarı çıkacak ve koruya gidecekti. Böylece dün akşamki müzik sesini çıkaran şeyin ne olduğunu bulabilirdi belki. Bu da önemli bir iş sayılırdı. Dünyayı değiştirecek bir iş yapmanın daha korkutucu maceralar gerektireceği düşüncesini kafasından atmayı başardı. Kendini avutmak için sadece şöyle düşündü: "Eh, en azından koruda biraz gezdikten sonra geri dönmemeye karar verirsem alır başımı giderim." Buna inandı, çünkü inanmak zorundaydı ve inanç, bir kez daha en gerçek, en güvenilir dostu olmuştu.

Gerçekten berbat bir sabahtı, hava şimdiden ısınmış, boğucu bir hal almıştı; ama korunun içi biraz serindi ve hafif bir rutubet kokusu vardı. Ona çok uzun gelen bir iki dakika boyunca birbirine girmiş dalların arasında ürkerek yürürken, neden daha önce buraya hiç gelmediğini merak etmeye başladı. "Çok güzel bir yermiş!" dedi şaşkınlıkla.

Çünkü ormanın içindeki ışık, alışık olduğu ışıktan çok farklıydı. Yeşile ve kehribar rengine çalan güneş ışınları yerdeki yaprakların üzerinde canlı, titreşen benekler oluşturuyor; ağaç gövdeleri tarafından kesin çizgilerle parça parça bölünüyordu. O güne kadar hiç görmediği, beyaz ya da gök mavisi çiçekler, hiç sonu yokmuş gibi görünen birbirine geçmiş sarmaşıklar; şurada burada yarı çürümüş, yeşil kadifeden yosunlarla kaplanmış kütükler.

Ve her yerde minik yaratıklar vardı. Her taraf sabahın telaşıyla koşuşturan bu yaratıkların sesleriyle doluydu; böcekler, kuşlar, sincaplar, karıncalar ve görünmeyen daha nice başka yaratıklar, hepsi nazikçe kendi işleriyle uğraşıyorlar onun varlığından rahatsız olmuş görünmüyorlardı. Kurbağanın da orada olduğunu görünce rahatladı. Devrilmiş bir kütüğün üzerine çömelmiş, dikkatli bakmazsanız canlı bir yaratıktan çok bir mantara benziyordu. Winnie yanına yaklaştığında gözlerini kırptı da öyle açığa çıktı kimliği.

"Gördün mü?" diye neşeyle bağırdı Winnie. "Sabah ilk iş buraya geleceğimi söylemiştim."

Kurbağa tekrar gözlerini kırptı ve başını salladı. Belki de sadece bir sinek yutuyordu. Ama sonra kütüğün kenarına doğru ilerledi ve bir zıplayışta çalıların arasında kayboldu.

"Demek beni bekliyordu," dedi Winnie kendi kendine, geldiğine çok iyi etmişti.

Uzun süre koruda dolaştı, her şeye baktı, her şeyi dinledi, dışarıdaki gergin, aptal dünyayı unuttuğu için gurur duyuyordu, sonra önceki akşam duyduğu melodiyi mırıldanmaya çalıştı. Bu sırada ileride bir yerde, ışığın daha parlak olduğu ve dalların seyreldiği tarafta bir şey hareket etti.

Winnie hemen olduğu yerde eğildi. "Bunlar gerçekten orman perileriyse," diye düşündü, "onlara bir baksam hiç fena olmaz." İçgüdülerinin dönüp kaçmasını söylemesine rağmen merakının galip geldiğini fark ederek sevindi. İleriye doğru emeklemeye başladı. Sadece onları görebilecek kadar yakına gitmeyi düşünüyordu. Daha fazla ilerlemeyecekti. Sonra da dönüp kaçacaktı. Ama iyice yaklaşıp da bir ağaç gövdesinin kenarından başını uzatınca ağzı açık kaldı ve dönüp kaçması gerektiğini unuttu.

Hemen önünde bir açıklık vardı ve açıklığın tam ortasında devasa bir ağaç yükseliyordu, ağacın kökleri çevresindeki dört beş metrelik alanı kaplıyordu. Kendisinden büyük bir çocuk, bir delikanlı ağacın gövdesine sırtını vermiş oturuyordu. O kadar muhteşem görünüyordu ki, Winnie o anda gönlünü kaptırdı ona.

Bu harika çocuğun ince bir gövdesi vardı ve teni güneşten esmerleşmişti, saçları kıvırcık ve kahverengiydi, üzerinde eski bir pantolonla geniş, kirli bir gömlek vardı ama sanki ipekten ve satenden giysileri varmış gibi kendinden emin görünüyordu. Son olarak, gerekli olmaktan çok süs olsun diye takılmış gibi duran yeşil pantolon askıları vardı üzerinde; son olarak, çünkü ayakkabıları yoktu ve bir ayağının parmakları arasına bir dal parçası sıkıştırmıştı. Otururken dalgın dalgın bu dal parçasını sallıyordu, başını kaldırıp yukarıdaki dalları seyretmeye başladı. Sabahın altın sarısı aydınlığı üzerine vurmaya başlamıştı, hafif bir meltemle sallanan dalların arasından süzülerek gelen güneş ışınları giderek daha parlak bir hal alıyor – kâh esmer ellerini, kâh saçını ve yüzünü aydınlatıyordu.

Çocuk kaygısızca kulağını kaşıdı, esnedi ve gerindi. Duruşunu değiştirdi ve hemen yanındaki küçük taş yığınına dikkatle bakmaya başladı. Winnie nefesini tutarak onu izlerken çocuk dikkatle, tek tek taşları ayıkladı. Yığının altındaki toprak ıslaktı. Çocuk son taşı da kaldırdığında Winnie minik bir su sütununun yükseldiğini gördü, su fazla yükselmeden küçük bir çeşme gibi toprağa geri dökülüyordu. Çocuk eğilip dudaklarını suya dayadı, sessizce içti ve tekrar doğrulup gömleğinin koluyla ağzını sildi. Bu sırada başını Winnie'nin olduğu tarafa çevirmesiyle göz göze geldiler.

Bir süre sessizce birbirlerine baktılar, çocuğun kolu hâlâ ağzının üzerindeydi. İkisi de kıpırdamadılar. Sonunda çocuk kolunu indirdi. "Saklanmana gerek yok, ortaya çıkabilirsin," dedi kaşlarını çatarak.

Winnie utançla doğruldu, biraz da gücenmişti. "Seni gözetlemek istememiştim," dedi açıklığa doğru çıkarken. "Burada birinin olduğunu bilmiyordum."

Winnie yaklaşırken çocuk onu baştan ayağa şöyle bir süzdü. "Ne yapıyorsun burada?" dedi sert bir sesle.

"Bu koru bize ait," dedi Winnie şaşkınlıkla. "Ne zaman istersem gelirim. Yani, daha önce hiç gelmemiştim, ama istesem gelirdim."

"Haa," dedi çocuk biraz rahatlayarak. "Sen Fosterlardansın, o zaman."

"Ben Winnie. Sen kimsin?"

"Ben Jesse Tuck. Memnun oldum," diyerek elini uzattı çocuk.

Winnie de gözlerini çocuktan ayıramadan elini uzattı. Yakından daha da hoş görünüyordu. "Buralarda mı oturuyorsun?" diye sordu elini gönülsüzce bırakırken. "Seni daha önce hiç görmedim. Buraya sık sık gelir misin? Kimse gelmez de. Burası bizim korumuz." Hemen ekledi. "Ama, önemi yok, yani eğer geldiysen. Benim için bir sakıncası yok."

Çocuk gülümsedi. "Hayır buralarda oturmuyorum ve buraya sık sık gelmem. Sadece geçiyordum. Yine de senin için sakıncası olmadığına sevindim."

"Bu iyi," dedi Winnie. Biraz geriye gitti ve çok uzaklaşmadan dikkatle köklerden birinin üzerine oturdu. "Kaç yaşındasın?" diye sordu çocuğun gözlerinin içine bakarak.

Çocuk hemen cevap vermedi. Biraz düşündükten sonra, "Neden sordun?" dedi.

"Sadece merak etmiştim," dedi Winnie.

"Pekala. Yüz dört yaşındayım," dedi çocuk ciddi bir havayla.

"Gerçek yaşını sordum," diye ısrar etti Winnie.

"Tamam, o zaman. İlle de bilmek istiyorsan on yedi yaşındayım."

"On yedi mi?"

"Evet, öyle."

"Ah," dedi Winnie umutsuzca. "On yedi. Büyükmüşsün."

"Büyüğüm ya," dedi çocuk başını sallayarak.

Winnie onun içten içe kendisine güldüğünü düşündü, ama bunun iyi niyetli bir gülüş olduğuna karar verdi. "Evli misin?" diye sordu bu kez.

Çocuk bir kahkaha attı. "Evli değilim, ya sen?"

Şimdi gülme sırası Winnie'ye gelmişti. "Elbette, değilim," dedi. "Ben daha on yaşındayım. Ama yakında on bir olacağım."

"O zaman evlenirsin," dedi çocuk.

Winnie yine güldü, başını bir yana eğmiş hayranlıkla çocuğu seyrediyordu. Sonra küçük pınarı işaret etti. "Tadı iyi mi?" diye sordu. "Susadım da."

Jesse Tuck'ın yüzü birden ciddileşti. "O mu? Hayır, hayır. İçilmez o su," dedi çabucak. "İçmemelisin. Doğrudan toprağın içinden geliyor. Eminim çok pistir." Sonra da taşları yerlerine yerleştirmeye başladı.

"Ama sen içmiştin," diye hatırlattı Winnie.

"Ah. Görmüş müydün?" Çocuk endişeyle baktı. "Şey, ben ne olursa içerim. Yani, ben alışkınım. Ama sen içmemelisin."

"Niçin içmeyecekmişim?" dedi Winnie. Ayağa kalktı. "Eğer korunun içindeyse o su benim sayılır. Biraz içmek istiyorum. Susuzluktan boğazım kurudu." Çocuğun oturduğu yere gidip çakıl taşlarının üzerine eğildi.

"İnan bana, Winnie Foster," dedi Jesse "eğer bu sudan bir yudum bile içersen başına korkunç şeyler gelir. Gerçekten korkunç şeyler. İçmene izin veremem."

"Ben hâlâ içmemek için bir neden göremiyorum," dedi Winnie alıngan bir sesle. "Susuzluğum da gittikçe artıyor. Eğer sana bir şey olmadıysa, bana da olmaz. Babam burada olsa içmeme izin verirdi."

"Ona bundan bahsetmeyeceksin, değil mi?" dedi Jesse. Esmer yüzü şimdi bembeyaz kesilmişti. Ayağa kalktı ve çıplak ayağını taş yığınına bastırdı. "Er ya da geç bunun olacağını biliyordum. Şimdi ne yapacağım ben?"

Bunu söylediği sırada ağaçların arasından bir hışırtı geldi ve bir ses duyuldu: "Jesse?"

"Tanrıya şükür!" dedi Jesse, rahatlamıştı. "Annem ve Miles geliyorlar. Onlar ne yapılacağını bilirler."

Gerçekten de biraz sonra şişman yaşlı bir atın üzerinde iri yarı, temiz yüzlü bir kadın göründü, hemen yanında en az Jesse kadar yakışıklı bir genç adam vardı. Bunlar Mae Tuck ve Jesse'nin ağabeyi Miles'dı. Mae Jesse'nin taş yığınına ayağıyla bastığını ve Winnie'nin dizlerinin üzerinde yere eğilmiş olduğunu görür görmez neler olup bittiğini anlamıştı. Eli hemen göğsüne gitti, şalının uçlarını birleştiren eski broşu sıkıca tuttu, onun da yüzü beyazlaşmıştı. "Evet, çocuklar," dedi, "işte sonunda olan oldu. En kötüsü de başımıza geldi."

VI

Daha sonra bu olayı düşündüğünde, sonraki birkaç dakikanın bulanık olduğunu hatırladı Winnie. Bir an pınardan su içmek için yere eğilmiş durduğunu, başka bir an birinin onu tutup havaya kaldırdığını, ağzını bile kapatmasına fırsat kalmadan yaşlı ve şişman atın sırtında zıplaya zıplaya gitmeye başladığını hatırlıyordu. Miles ve Jesse yanında yürüyorlardı, Mae de atın dizgini elinde önden gidiyordu.

Winnie kendisini bildi bileli kaçırılmanın nasıl bir şey olduğunun hayalini kurardı. Ama şimdiki durum kurduğu hayallere hiç benzemiyordu, çünkü onu kaçıranlar da en az kendisi kadar telaşlı görünüyorlardı. Sarkık kara bıyıklı adamların onu bir battaniyeye sarıp patates çuvalı gibi taşıyacaklarını, bu sırada kendisinin de korkuyla yalvaracağını kurmuştu hep. Ama şimdi Mae Tuck, Miles ve Jesse yalvarıyorlardı.

"Lütfen, çocuğum... aman, ne olur... ne olur korkma." Mae bir yandan koşmaya çalışıyor bir yandan da başını çevirip bunları söylüyordu. "Sana bir zarar vermeyeceğiz... gerçekten vermeyeceğiz."

"Şey... eğer bağırırsan" –bu Jesse'ydi– "seni duyabilirler... seni duyarlarsa başımıza kötü şeyler gelebilir."

Bazen Miles söze giriyordu: "Sana her şeyi anlatacağız... hele biraz uzaklaşalım her şeyi anlatacağız."

Winnie konuşmuyordu. Kalbinin deli gibi çarpmasına ve sırtından soğuk terler akmasına rağmen, aklına hiçbir kötülük gelmiyor; eyere tutunmaya ve dengesini korumaya çalışıyordu. Sanki birbiriyle ilgisi olmayan bir sürü düşünce art arda durmuş sırayla aklına geliyordu. "Demek ata binmek böyle bir şeymiş – nasıl olsa bugün evden kaçacaktım – kahvaltı için eve dönmezsem ne düşünürler acaba – keşke kurbağa beni görseydi – bu kadın benim için endişeleniyor – Miles Jesse'den daha uzun – eğer başımı eğmezsem şu karşıdaki dal çarpıp beni düşürecek."

Korunun kenarına gelmişlerdi, hiç yavaşlamadan devam ettiler. Yol hemen önlerinde çayıra doğru kıvrılıyordu ve kızgın güneşin altında bembeyaz kesilmişti. İşte orada, yolun üzerinde dün akşamki adam, sarı elbiseli ve siyah şapkalı adam duruyordu.

Adamı tanıdı, o da şaşırmış görünüyordu, bir anda kurtulma şansını yakalayan Winnie'nin zihni aksi gibi birden boşalıverdi. Yardım etmesi için ona sesleneceği yerde, sadece yanından geçerken şaşkın şaşkın ona bakmakla yetindi. Tek konuşan Mae Tuck'dı, onun da tek söyleyebildiği, "Küçük kızımıza... şey ata binmesini öğretiyoruz!" oldu. Ancak ondan sonra Winnie'nin aklına bağırması, kollarını sallaması ya da bir şey yapması gerektiği geldi. Ama adam çok arkalarda kalmıştı ve Winnie de attan düşmekten korktuğu için eyeri bırakıp arkasını dönemedi. Birkaç saniye sonra artık yardım istemek için çok geçti. Tepeyi tırmanıp öbür tarafa geçtiler ve Winnie yardım isteme fırsatını kaçırdı.

Bir süre sonra, çevresinde söğüt ağaçları ve dikenli çalılar olan bir derenin kenarına geldiler. "Durun!" diye bağırdı Mae. "Burada duruyoruz!" Miles ve Jesse atın koşumlarına o kadar hızlı asıldılar ki Winnie neredeyse atın başının üzerinden aşağı uçuyordu. "Zavallı çocuğu aşağı indirin," dedi Mae nefes nefese. "Suyun yanına gidip biraz soluklanalım ve devam etmeden önce çocuğa her şeyi anlatalım."

Ama derenin kenarına gelip oturduklarında açıklama yapmanın o kadar da kolay olmadığı görüldü. Mae utanmış görünüyordu, Miles ve Jesse kıpır kıpır kıpırdanıyorlar ve huzursuzca annelerine bakıyorlardı. Kimse nasıl söze başlayacağını bilemiyordu. Koşturmaca artık sona erdiğinden Winnie neler olduğunu kavramaya başlıyordu ve kavradıkça boğazı düğümleniyor, ağzı kuruyordu. Bu bir düş değildi. Tüm olanlar gerçekti. Yabancılar onu götürüyorlardı, ona her şeyi yapabilirlerdi, annesini bir daha hiç göremeyebilirdi. Annesini düşününce kendisinin ne kadar küçük, zayıf ve çaresiz olduğunu fark etti; hissettiği korku ve panikle birden ağlamaya başladı.

Mae Tuck'ın yuvarlak yüzü ümitsizlikle buruştu. "Ulu tanrım, ağlama! Ne olur ağlama, yavrum!" diye yalvardı. "Biz kötü insanlar değiliz, inan bana. Seni uzaklaştırmak zorundaydık –birazdan nedenini anlayacaksın– en kısa zamanda evine geri götüreceğiz seni. Yarın evde olacaksın. Söz veriyorum."

Mae "Yarın," deyince Winnie bu kez çığlık çığlığa ağlamaya başladı. Yarın! Sonsuza dek evden uzak kalmaktan ne farkı vardı ki bunun? Hemen şimdi eve gitmek istiyordu, parmaklığın ardındaki güvenli bahçeye ve pencereden gelen annesinin sesine geri dönmek istiyordu. Mae ona yaklaştı, ama Winnie hemen çekildi ve elleriyle yüzünü kapatarak ağlamaya devam etti.

"Bu çok korkunç!" dedi Jesse. "Bir şeyler yapamaz mısın, anne? Zavallı yavrucak."

"Bundan daha iyi bir plan yapmalıydık," dedi Miles.

"Bu konuda haklısın," dedi Mae çaresizce. "Ulu Tanrı da biliyor, daha iyisin düşünmek için bol bol zamanımız vardı, er ya da geç bunun olacağını biliyorduk. Daha önce başımıza gelmediği için çok şanslıyız. Ama bir çocuk olacağını hiç beklemiyordum!" Ne yaptığını bilemez bir halde elini eteğinin cebine sokup müzik kutusunu çıkardı ve titreyen parmaklarıyla hiç düşünmeden kurma kolunu çevirdi.

O küçük melodi çalmaya başlayınca, Winnie'nin hıçkırıkları azaldı. Ellerini yüzünden çekmeden oturduğu yerden kalkıp dinledi. Evet, dün gece duyduğu müzikti bu. Nedense bu müziği duymak onu rahatlattı. Sanki bu müzik onu tanıdık şeylere bağlayan bir kurdeleydi. Düşünmeye başladı: "Eve gittiğim zaman, bunun orman perilerinin müziği olmadığını büyükanneme söylerim." Islak ellerini kullanarak becerebildiği kadarıyla yüzünü kuruladı ve Mae'ye döndü. "Dün gece bu müziği duymuştum," dedi son hıçkırıkları arasında. "Bahçedeyken. Büyükannem orman perilerinin müziği olduğunu söylemişti."

"Hayır, tatlım," dedi Mae, ümit ve şefkat dolu bir bakışla. "Yalnızca benim müzik kutumdu. Başkalarının duyabileceğini düşünmemiştim." Müzik kutusunu Winnie'ye verdi. "Bakmak ister misin?"

"Çok şirin," dedi Winnie kutuyu elinde evirip çevirirken. Kurma kolu hâlâ dönüyordu, ama çok yavaşlamıştı. Biraz sonra müzik duraksamaya başladı. Aralıklı birkaç nota daha duyulduktan sonra tamamen durdu.

"İstersen yeniden çevir," dedi Mae. "Saat yönünde çevireceksin."

Winnie anahtarı çevirdi. Hafif bir tıkırtı oldu. Birkaç kez çevirdikten sonra müzik yeniden çalmaya başladı, tekrar kurulduğu için ses daha güçlü ve neşeli çıkıyordu. Böyle bir şeye sahip olan bir insanla anlaşmamak mümkün değildi. Winnie kutunun üzerindeki gülleri ve zambakları incelerken elinde olmadan gülümsedi. "Çok şirin," diye tekrarlayarak kutuyu Mae'ye geri verdi.

Müzik kutusu hepsini ferahlatmıştı. Miles arka cebinden bir mendil çıkarıp yüzünü sildi, Mae de bir kayanın üzerine oturarak mavi hasır şapkasını çıkardı ve serinlemek için kendine doğru sallamaya başladı.

"Dinle beni, Winnie Foster," dedi Jesse. "Biz dostuz, inan bana. Ama bize yardım etmelisin. Gel otur da sana nedenini anlatayım."

VII

Winnie hayatında hiç bu kadar garip bir hikâye duymamıştı. Konuşmalarını dinlerken bunu daha önce birbirleri dışında hiç kimseye söylememiş oldukları izlenimine kapıldı – bunu duyan ilk kişi kendisi olmalıydı; çünkü hepsi de annelerinin dizi dibine toplanan çocuklar gibi çevresini sarmışlar, her biri bir şey anlatıyordu, bazen hepsi birden söze başlıyorlar ve heyecanla konuşurken birbirlerinin sözünü kesiyorlardı.

Seksen yedi yıl önce Tucklar yerleşecek bir yer bulmak için doğudan gelmişlerdi. O günlerde koru bir koru değil bir ormandı, tam da Winnie'nin büyükannesinin dediği gibi, kocaman bir ormandı. Ormanın kıyısına gelince bir çiftlik kurmayı düşünüyorlardı, ama orman bir türlü bitmek bilmemişti. Ormanın şu anda koru olan kısmında kamp kuracak bir yer ararken o pınara rastlamışlardı. "Çok güzel görünüyordu," dedi Jesse içini çekerek. "Aynı şimdi göründüğü gibiydi. Bir açıklık, bol bol güneş ışığı ve boğum boğum kökleri olan kocaman bir ağaç. Orada durduk ve at dahil hepimiz pınardan su içtik."

"Hayır," dedi Mae, "kedi içmedi. Bu önemli."

"Evet," dedi Miles, "bunu unutma. Kedi haricinde hepimiz içtik."

"Her neyse," diye devam etti Jesse "suyun tadı biraz tuhaftı. Ama o gece orada kamp kurduk. Bulunduğumuz yeri işaretlemek için babam ağacın gövdesine bir T harfi kazıdı. Sonra da yolumuza devam ettik."

Batıya doğru kilometrelerce yürüdükten sonra nihayet ormanın kıyısına varmışlar, sakin bir vadide çiftliklerini kurmuşlardı. "Annem ve babam için bir ev yaptık," dedi Miles "Kendimize de küçük bir kulübe yaptık. İlerde bizim de kendi ailelerimiz olacağı için nasıl olsa kendi evlerimizi yapacaktık."

"İşte ilk olarak o zaman ortada acayip bir şeyler olduğunu anladık," dedi Mae. "Jesse ağaçtan düştü..."

"Ağacın ortasına kadar çıkmıştım," diye devam etti Jesse, "ağacı kesmeden önce büyük dallardan bazılarını kesmeye çalışıyordum. Dengemi kaybedip düştüm..."

"Kafasının üzerine düştü," dedi Mae ürpererek. "Boynunun kırıldığından emindik. Ama yanına gittiğimizde hiçbir şey olmadığını gördük."

"Bir süre sonra," dedi Miles, "akşamüzeri bazı avcılar geldi. Atımız ağaçların arasında dolaşırken onu vurdular. Söylediklerine göre, onu geyik sanmışlar. Düşünebiliyor musun? Ama asıl önemlisi, onu öldürememişlerdi. Kurşun doğruca karnından içeri girmişti ama izi bile görünmüyordu."

"Sonra babamı bir yılan soktu..."

"Jesse zehirli mantar yedi..."

"Ben de elimi kestim," dedi Mae. "Hatırlıyor musunuz? Ekmek keserken."

Ama onları en çok endişelendiren şey zamanın nasıl geçtiğiymiş. Çiftliği işletmişler, oraya yerleşmiş ve dostlar edinmişler. Ama on yıl, yirmi yıl geçtikten sonra ortada korkunç derecede yanlış bir şeyler olduğunu fark etmişler. Hiçbiri yaşlanmıyormuş.

"Ben kırk yaşımı geçmiştim," dedi Miles üzüntüyle. "Evlenmiştim. İki çocuğum vardı. Ama hâlâ yirmi iki yaşında gibi görünüyordum. Nihayet karım ruhumu şeytana sattığıma karar verdi. Beni terk etti. Giderken çocuklarımı da yanında götürdü."

"Ben hiç evlenmediğime seviniyorum," dedi Jesse.

"Dostlarımız da aynı şeyi yaptılar," dedi Mae. "Bizden uzaklaşmaya başladılar. Cadı olduğumuza dair söylentiler çıktı. Kara büyüyle uğraştığımızı söylediler. Eh, onları suçlayamazdık, ama işler öyle bir hal aldı ki, günün birinde çiftliği bırakıp gitmek zorunda kaldık. Nereye gideceğimizi bilemedik. Biz de geldiğimiz yere doğru gitmeye başladık, öylesine dolaşıyorduk. Çingeneler gibi yaşıyorduk. Buraya geldiğimizde, her şey değişmişti tabii. Ağaçlardan çoğu kesilmişti. İnsanlar gelmişti ve Treegap – bir kasaba olmuştu. Bu yol açılmıştı, ama ineklerin ayak izlerinden oluşuyordu. Korunun içine girdiğimizde açıklığı, ağacı ve pınarı görünce daha önce de gelmiş olduğumuzu hatırladık."

"Orası da bizim gibi hiç değişmemişti," dedi Miles. "İlk gördüğümüzdeki gibiydi. Babamın yirmi yıl önce ağacın gövdesine kazıdığı T harfi aynen yerinde duruyordu. Ağaç da yirmi yıldan beri bir santim bile uzamamıştı. Tamamıyla aynı görünüyordu. T harfi de sanki daha yeni yapılmış gibi tazeydi.

Sonra suyu içtiklerini hatırlamışlardı. Onlar ve atları. Ama kedi içmemişti. Kedi çiftlikte uzun ve mutlu bir hayat yaşamış, ama on yıl kadar önce ölmüştü. Böylece, değişmemelerinin sebebinin o pınar olduğunu nihayet anlamışlardı.

"Bunu anladığımız zaman," dedi Mae "Angus –o benim kocamdır, Angus Tuck– kesinlikle emin olması gerektiğini söyledi. Tüfeğini alıp göğsüne dayadı ve biz engel olamadan tetiği çekti." Uzun bir sessizlik oldu. Mae'nin kucağında duran elleri o anın hatırasıyla bir an titredi. Sonunda sözlerine devam etti, "Kendini vurdu.

Kurşun kalbine girmişti. Yani girmiş olması gerekiyordu. Kurşun gövdesinden içeri girmişti, ama izi bile görünmüyordu. Sanki –ne bileyim– sanki suya düşüp kaybolmuştu kurşun. Hiç kendine ateş etmemiş gibi tamamen sağlıklı görünüyordu."

"Ondan sonra hepimiz biraz çıldırdık galiba," dedi Jesse, o günleri hatırlayarak güldü. "Lanetlenmiştik, sonsuza kadar yaşacaktık. Bunu anlayınca neler hissettiğimizi hayal edebiliyor musun?"

"Ama sonra oturup bu konuyu konuştuk..." dedi Miles.

"Hâlâ konuşuyoruz," diye ekledi Jesse.

"Ve herkes bu pınarın yerini öğrenirse çok kötü olacağına karar verdik," dedi Mae. "Bunun ne anlama geleceğini görmeye başladık." Winnie'ye baktı. "Anlıyor musun, kızım? O pınarın suyu – hiç değişmemene neden oluyor. Eğer bugün o sudan içseydin sonsuza kadar küçük bir kız olarak kalacaktın. Asla büyüyemeyecektin."

"Bunun nasıl ya da neden olduğunu bilmiyoruz," dedi Miles.

"Babam diyor ki, dünyanın başka türlü olması için yapılan bir planın parçasıymış," dedi Jesse. "Pek işe yaramayan bir plan. Bu yüzden her şey değişmiş. Ama bu pınar unutulmuş, neden bilmiyorum. Belki babam haklıdır. Bilmiyorum. Görüyorsun ya Winnie Foster, sana yüz dört yaşındayım dediğimde doğru söylüyordum. Ama aslında on yedi yaşındayım. Galiba dünyanın sonuna kadar da on yedi yaşında kalacağım.

VIII

Winnie masallara inanmazdı. Büyülü bir asaya sahip olmak istememişti hiç, bir prensle evlenme hayalleri kurmamıştı ve büyükannesinin perilerini de çoğu zaman komik bulurdu. Şimdi ağzı bir karış açık, gözleri irileşmiş olarak dinlediği bu olağandışı hikâye için ne düşüneceğini bilemiyordu. Yok canım, tek kelimesi bile doğru olamazdı.

"Oh be! Birine anlatınca ne kadar rahatladım bilemezsin!" diye patladı Jesse. "Düşünsene Winnie Foster, dünyada bizden başka bunu bilen tek kişi sensin."

"Orada dur bakalım," dedi Miles hemen. "Belki de değildir. Bizim gibi oradan oraya gezip duran başkaları da vardır belki."

"Belki. Ama onları tanımıyoruz," dedi Jesse. "Birbirimiz dışında bu konuyu konuşacak kimseyi bulamadık şimdiye kadar. Ne kadar garip, değil mi Winnie? Ne kadar harika, değil mi? Yaşadığımız süre boyunca dünyada görüp duyduğumuz şeyleri bir düşünsene! Ve ileride neler görebileceğimizi!"

"Böyle konuşursan koşarak gidip kovayla içecek suyu," diye uyardı Miles. "Bu işin içinde Jesse Tuck'ın geçirdiği güzel zamanlardan çok daha fazlası var, biliyorsun."

"Ah, boş laf," dedi Jesse omuz silkerek. "Eğer değiştiremiyorsak tadını çıkarmalıyız bence. Her zaman vaaz verir gibi konuşursun, zaten."

"Vaaz vermiyorum," dedi Miles. "Sadece biraz daha ciddi olmanı istiyorum."

"Evet, çocuklar," dedi Mae. Dereye eğilmiş elleriyle yüzüne soğuk su çarpıyordu. "Aman! Nasıl hava bu!" diye söylendi ve ayaklarını kıvırıp çimlerin üzerine oturdu. Broşunu çözdü, şalını çıkarıp yüzünü kuruladı. "Evet, kızım," dedi Winnie'ye tekrar ayağa kalkarken "artık sen de bizim sırrımızı biliyorsun. Bu çok tehlikeli bir sırdır. Bu sırrı korumak için senin yardımına ihtiyacımız var. Aklında bir ton soru olduğunu biliyorum, ama burada daha fazla kalamayız." Şalı beline bağladıktan sonra içini çekti. "Annenin ve babanın ne kadar meraklanacaklarını düşününce gerçekten çok üzülüyorum. Ama seni bizim eve götürmeliyiz. Plan böyle. Angus seni görmek ve bu sırrı koruyacağından emin olmak isteyecektir. Yarın seni geri götürürüz. Tamam mı?"

Üçü birden ümitle Winnie'ye baktılar.

"Tamam," dedi Winnie. Çünkü başka seçeneği olmadığına karar vermişti. Gitmek zorundaydı. Zaten, ne söylerse söylesin onu götürecek gibi görünüyorlardı. Ama nedense korkacak hiçbir şey olmadığı duygusuna kapılmıştı. Hepsi de çok nazikti. Nazik ve –garip bir şekilde– çocuksuydular. Onların bu halini görünce Winnie kendini yaşlı hissetti. Onunla konuşmaları, ona bakışları kendisini özel hissetmesini sağlamıştı. Artık önemli birisiydi. Bu yepyeni duygu içini ısıtıyor, her yanına yayılıyordu. Hikâyenin tuhaflığına rağmen bu duyguyu sevmişti, onları da sevmişti – özellikle Jesse'yi.

Ama Jesse değil Miles elini tuttu. "Bir iki günlüğüne bile olsa seninle birlikte olmak çok güzel," dedi.

Sonra Jesse bir sevinç çığlığı atarak dereye atladı ve her yana su sıçrattı. "Kahvaltı için ne getirdin, anne?" diye bağırdı. "Yolda giderken yiyebilir miyiz? Açlıktan ölüyorum!"

Böylece, güneş tepede yükselirken yeniden yola koyuldular, peynir ekmek yiyerek giderken ağustosun sessizliği içindeki tek gürültü onlardan çıkıyordu. Jesse bağırarak eski ve komik şarkılar söylüyor, ağaç dallarında maymun gibi sallanıyor, yüzünde utangaçlığın kırıntısı bile olmadan gösteriş yaparak Winnie'ye sesleniyordu: "Hey, Winnie Foster bana bak! Bak neler yapıyorum!"

Winnie onun hareketlerine gülerken içindeki son endişe kırıntıları da yok oldu. Onlar dostlarıydı, onun dostlarıydı. İşte evden kaçmıştı, ama yalnız değildi. Bahçesinin kapısını kapatır gibi eski korkularının kapısını kapatmış ve hep hayalini kurduğu kanatlara nihayet sahip olmuştu. Sonunda mutluluğu bulmuştu. Karşılaşacağını söyledikleri korkunç şeyler neredeydi? Hiçbir korkutucu şey yoktu çevrede. Bereketli yeryüzü, koparılmayı bekleyen taçyapraklar gibi önünde açılmıştı, başını döndüren bir parlaklıkla ve bin bir türlü fırsatla ışıldıyordu. Annesinin sesi ve eve dönme iste ğzihninin derinlerine çekildi, Winnie artık geleceği düşünmeye başladı. Neden olmasın, belki kendisi de yeni keşfetmeye başladığı bu güzel dünyada sonsuza dek yaşayabilirdi! Pınarla ilgili hikâye – doğru olabilirdi! Şişman ve yaşlı atın sırtında –bu kez kendi isteğiyle– giderken zaman zaman aşağı iniyor, çığlıklar atarak yoldan aşağı koşuyor, kollarını sallıyor ve herkesten çok gürültü çıkarıyordu.

Her şey çok iyiydi. O kadar iyiydi ki hepsi de yolda yanından geçtikleri sarı elbiseli adamın derenin kıyısındaki çalıların içinde olduğunu ve o inanılmaz hikâyenin tüm ayrıntılarını duyduğunu fark etmemişlerdi. Şu anda peşlerinde olduğunu da bilmiyorlardı; arkalarında bir yerde onları izleyen adamın seyrek gri sakallarının kapladığı yüzünde belli belirsiz bir gülümseme vardı.

IX

Ağustos güneşi ufukta yükseldi, kör edici bir parlaklıkla bir saat kadar havada asılı kaldıktan sonra yavaş yavaş batıya doğru alçalmaya başladı. Winnie yorgunluktan ölmek üzereydi. Bazen Miles onu kucağına alıyordu. Yanakları güneşten yanmış, pespembe olmuştu; burnu da kızardıkça kızarmış komik bir kırmızıya dönüşmüştü. Sonunda Mae mavi hasır şapkasını başından çıkarıp Winnie'nin başına takarak onu daha fazla yanmaktan kurtardı. Kulaklarından aşağıya inen hasır şapkayla Winnie palyaçoya benzemişti, ama şapkanın gölgesi öyle ferahlatıcıydı ki şık görünme kaygısını bir yana bırakıp Miles'ın güçlü kollarında uyuklamaya başladı, kendi kollarını da Miles'ın boynuna dolamıştı.

Yol boyunca geçtikleri çayırlarda, tarlalarda, çalılıklarda arılar vızıltıyla dolaşıyordu; çekirgeler zıplayarak önlerinden kaçışıyorlardı, sanki her adımda bir yayın üzerine basıyorlar ve ayaklarını çekince de çekirgeler çakıl taşları gibi oraya buraya fırlıyorlardı. Ama onun dışında her yerde bunaltıcı bir sessizlik vardı, kavrulmanın eşiğine gelmiş bitkiler, içlerindeki özsuyun son damlalarını bir sonraki yağmura kadar saklamaya çalışıyorlardı. Toz içindeki yabani havucun dantel gibi beyaz çiçekleri dalgaların köpükleri gibi uzanıyordu çayırın üzerine.

Yüksek bir tepeye tırmanmak, zirveye varınca bir sonraki tepeyi ve yukarılardaki seyrek çam ormanını görmek, tırmandıkça havanın serinleyip yumuşadığını fark etmek gerçekten muhteşemdi. Winnie taze havanın kokusuyla kendine geldi ve yeniden Mae'nin arkasına, atın terkisine bindi. Sürekli aynı soruyu tekrarlıyordu: "Geldik mi?" Nihayet bir süre sonra duymak istediği cevap geldi. "Sadece birkaç dakika kaldı."

Önlerine bir çam ormanı çıktı, çam ağaçlarına yaklaştıklarında Jesse ansızın bağırdı: "Eve geldik! İşte burası Winnie Foster!" Miles ve Jesse koşarak çam ağaçlarının arasına daldılar. At da onların peşinden bir patikaya daldı, yer yer köklerle kapanmış patikaya girdiklerinde sanki dev bir süzgecin altına girmiş gibi oldular. İkindi güneşinin parlaklığı dağılıp parçalandı, çevrelerindeki her şey sessiz ve el değmemişti, toprağın üstü yosunlar ve çam iğneleriyle kaplıydı, çam ağaçlarının zarif dalları her yöne uzanarak gölgelerini sunuyordu onlara. Kavurucu sıcaktan kurtulmuşlardı sonunda, ormanın içi serin ve yemyeşildi. At dikkatle yürümeye devam etti, biraz ileride patika dik bir bayıra ulaşıyordu ve Winnie Mae'nin tombul vücudunun arkasından başını çıkardığında önlerinde baş döndürücü güzellikte bir renk cümbüşü olduğunu gördü. Bayırdan aşağı indiklerinde küçük, sevimli bir ev, kırmızı çatılı bir ahır ve biraz daha aşağıda güneşin yansımasıyla pırıl pırıl parlayan minik bir göl gördüler.

"Ay, ne güzel bir göl!" diye sevinçle bağırdı Winnie.

Tam o sırada art arda iki cumburtu duyuldu ve birileri neşeyle gülüşmeye başladı.

"Göle dalmak için bir dakika bile sabredemezler," dedi Mae gülümseyerek. "Eh, bu sıcakta onları suçlayamayız. İstersen sen de göle girebilirsin."

Küçük evin avlusuna geldiklerinde Angus onları kapıda bekliyordu. "Çocuk nerede?" diye sordu, çünkü Winnie Mae'nin arkasında kalmıştı. "Bizim oğlanların söylediğine göre tamamıyla doğal, gerçek bir çocukla birlikte gelmişsiniz!"

"Gerçekten öyle," dedi Mae attan aşağı inerek "işte çocuk burada."

Winnie karşısında hüzünlü bir yüzü olan bol pantolonlu kocaman adamı görünce biraz utandı, ama adam ona bakınca içini sıcak, hoş bir duygu kapladı. Angus'un başı hafifçe yana eğilmişti, bakışları yumuşaktı, yüzündeki tatlı gülümseme kederin yarattığı kırışıklıkları hemen unutturuyordu. Winnie'yi atın terkisinden indirmek için yanına yaklaştı. "Seninle tanıştığıma ne kadar sevindiğimi anlatamam. Bu kadar güzel bir şey, çok uzun zamandır, en az..." Burada sustu, Winnie'yi yere indirdikten sonra Mae'ye döndü. "Biliyor mu?"

"Elbette biliyor," dedi Mae. "O yüzden getirdim onu buraya. Winnie, seni kocamla tanıştırayım, Angus Tuck. Angus, bu Winnie Foster."

"Memnun oldum, Winnie Foster," dedi Angus, ciddi bir edayla Winnie'nin elini sıkarken. "Pekâlâ!" Şöyle bir doğruldu ve onu tepeden tırnağa şöyle bir süzdü. Winnie onun yüzüne bakınca kendisini cicili bicili bir ambalaja sarılıp kurdeleyle bağlanmış beklenmedik bir hediye gibi hissetti; hâlâ başının üzerinde duran Mae'nin mavi şapkası görüntüyü bozuyordu tabii. " Pekâlâ," diye tekrarladı Angus, "bildiğine göre devam edeyim; çok uzun zamandır, en az seksen yıldır bu kadar güzel bir olay gelmemişti başımıza."

X

Winnie çok düzenli bir evde büyümüştü. Temiz ve derli toplu evlere alışıktı. Annesinin ve büyükannesinin acımasız çifte saldırısı altında evleri her zaman tertemiz yıkanmış, silinmiş ve süpürülmüş olurdu, öyle ki dikkatsiz bir kişinin kayıp düşmesi işten bile değildi. Asla özensiz iş yapılmaz, hiçbir şey sonraya bırakılmazdı. Foster kadınları evlerini bir temizlik tapınağına dönüştürmüşlerdi. Temizliğe ve düzene sonsuz bir inançları vardı, Winnie'yi de kendileri gibi yetiştiriyorlardı.

Bu yüzden gölün yanındaki minicik şirin eve, evin her yerini kaplayan bir parmak kalınlığındaki toz tabakasına, gümüş renkli örümcek ağlarına, masanın çekmecesinde yaşayan –ve çok sevimli bulduğu– fare ailesine hazırlıklı değildi. Evde yalnızca üç oda vardı. İlk girişte mutfak çıkıyordu karşınıza, mutfaktaki açık dolabın içine tabaklar çanaklar tepeleme doldurulmuş, hiç boş yer bırakmamacasına dolabın her yerine bir şeyler tıkıştırılmıştı. Onun dışında kararmış dev gibi bir fırın ve demirden bir lavabo vardı. Soğan hevenklerinden fenerlere, tahta kaşıklardan leğenlere kadar akla hayale gelebilecek ne varsa birbiri üzerine yığılmış, duvarlara ya da tavana asılmıştı. Bir köşede de Angus'un eski tüfeği duruyordu.

Mutfaktan sonra oturma odasına giriliyordu. Eskilikten yamru yumru olmuş mobilyalar odanın içine gelişigüzel yerleştirilmişti. Tam ortada, yosun tutmuş bir kütüğe benzeyen, tüyleri dökülmüş yeşil bir kadife kanepe vardı, kanepenin karşısındaki duvarda bulunan kir pas içindeki şöminenin dibinde geçen kış yakılan odunların külleri hâlâ duruyordu. Bir çekmecesi farelerin evi olan masa da bir köşede kaderine terkedilmişti. Odanın içindeki üç koltuk ve bir sallanan sandalye, sanki bir parti için eve gelmiş yabancılar gibi birbiriyle alakasız yerlere konmuştu.

Oturma odasından yatak odasına geçiliyordu, burada da kocaman çarpık bir yatak odanın çoğunu kaplıyordu, yatağın hemen yanında tek aynalı bir komodin, ayak ucunda ise içinden lavanta kokuları gelen, meşeden yapılmış büyük bir dolap vardı.

Daracık dik merdivenlerden tavan arasına çıkılıyordu. "Çocuklar eve gelince burada uyuyorlar," dedi Mae. İşte evin hepsi bundan ibaretti. Tam olarak bundan ibaretti diyemeyiz. Çünkü her yerde Mae ve Angus'un yaptıkları işlerin izleri vardı. Mae'nin dikiş-nakış işleri: Parlak kumaş parçaları ve iplikler; bitmemiş yorganlar ve kilimler; bir torbanın içinden dört bir yana dağılmış, tahta aralarına ve köşelere saçılmış kar gibi pamuk topakları; kanepenin üstünde çileler ve dikkat etmezseniz bir yerinize batabilecek büyüklü küçüklü iğneler. Angus'un ağaç işleri: Yerlerde kıvır kıvır yongalar, kırıntılar, tahta parçaları; her tarafı kaplayan rutubetli talaş yığınları; birleştirilmemiş bebek ya da tahta asker parçaları; farelerin masasının üzerinde tutkalı kurusun diye bırakılmış bir gemi maketi; kenarları iyice rendelenmiş bir yığın tahta kap kacak; en üstteki kabın içine doldurulmuş, kemik gibi beyazlamış bir sürü tahta kaşık ve çatal. "Satmak için yaptığımız şeyler," dedi Mae tüm bu karmaşayı gururla gözden geçirirken.

Hepsi bu kadar da değildi. Çünkü gölün yüzeyinden yansıyan ışık pencerelerden içeri giriyor, oturma odasının şirin tavanında geziniyor ve sanki bir serap gibi dalgalanıyordu. Odanın her yerine sarı beyaz gülümseyen papatyalarla dolu vazolar yerleştirilmişti. Her şey bir yana, tertemiz, tatlı bir su ve ot kokusu, yalıçapkınlarının ve daha bir sürü kuşun neşeli şakımaları, çamurların içinde güneşlenen sakin bir kurbağanın zaman zaman kalın sesiyle vıraklaması dolduruyordu odanın içini.

Winnie'nin gözleri şaşkınlıktan fal taşı gibi açılmıştı. İnsanların böyle bir düzensizlikte yaşayabilmesi ona çok inanılmaz geliyordu, ama aynı zamanda da bu evden pek hoşlanmıştı. Bu ev... rahattı. Mae'nin peşinden tavan arasına doğru merdivenleri çıkarken kendi kendine düşündü: "Belki de temizlemek için sonsuz zamanları olduğundan böyle." Sonra aklına başka bir düşünce, çok daha aykırı bir düşünce geldi: "Belki de sadece umursamıyorlardır."

"Çocuklar eve pek sık gelmezler," dedi Mae tavan arasına çıkan merdivenin yarısına geldiklerinde. "Ama geldikleri zaman yukarda kalırlar. Gerçekten geniş bir yerdir." Tavan arasına da bir sürü şey doldurulmuştu ama yerde dürülmüş duran iki tane şilte vardı ve üzerlerine açılıp serilmeyi bekleyen temiz çarşaflar ve battaniyeler konmuştu.

"Evden ayrıldıklarında nereye gidiyorlar?" diye sordu Winnie. "Neler yapıyorlar?"

"Ah," dedi Mae "farklı yerlere gidiyorlar ve değişik işler yapıyorlar. Ne iş bulurlarsa yapıyorlar ve eve biraz para getirmeye çalışıyorlar. Miles marangozluktan anlar, biraz demircilik de bilir. Jesse ise, hiçbir zaman özellikle bir işte ustalaşmak istemedi. Eh, biraz genç tabii." Birden susup gülümsedi. "Kulağa komik geliyor, değil mi? Yine de, işin doğrusu bu. Bu yüzden Jesse ne bulursa onu yapıyor, tarlalarda ya da lokantalarda falan çalışıyor; işte neye rast gelirse." İçini çekti. "Bu evde mümkün olduğunca uzun kalmaya çalıştık, yirmi yıldır buradayız. Çok güzel bir yer burası. Angus buraya çok bağlandı. Kendi başımıza yaşayabiliyoruz, gölde bir sürü balık var, çevredeki kasabalara da çok uzak değil. İhtiyacımız olduğunda bir birine bir ötekine gidiyoruz, böylece insanlar bize pek dikkat etmiyorlar. Yaptığımız şeyleri satıyoruz. Ama galiba bugünlerde yine taşınmamız gerekecek. Artık zamanı geldi."

Onların hiçbir yere ait olmadıklarını bilmek Winnie'yi üzdü. "Bu çok kötü," dedi utangaç bir ifadeyle Mae'ye bakarak. "Sürekli taşınmak ve hiç arkadaş sahibi olmamak çok üzücü."

Ama Mae omuz silkti. "Angus ve ben, ikimiz idare ediyoruz. Çocuklar da kendi bildikleri gibi yaşıyorlar. Bizden biraz farklılar, her zaman keyifli değiller. Ama ne zaman isterlerse eve gelebiliyorlar, ayrıca on yılda bir, ağustosun ilk haftası pınarın başında buluşuyorlar ve birlikte eve geliyorlar, böylece kısa bir süre için yeniden aile oluyoruz. İşte bugün koruda olmamızın nedeni buydu. On yılda bir mutlaka orada buluşuruz." Kollarını göğsünde kavuşturarak Winnie'den çok kendi kendisine başını salladı. "Uzun mu kısa mı olduğuna bakmadan hayatı sevmeli insan," dedi sakin bir sesle. "Sana verileni şikâyet etmeden kabul etmelisin. Biz de herkes gibi yaşayıp gidiyoruz işte. Tuhaf – kendimizi hiç farklı hissetmiyoruz. En azından ben hissetmiyorum. Bazen bize olanları unutuyorum, her şeyi unutuyorum. Bazen tekrar hatırlıyorum ve bize ne olduğunu merak ediyorum. Biz Tucklar sade insanlarız aslında. Herhangi bir lütuf gösterilmeye layık değiliz – eğer bu bir lütufsa. Ayrıca lanetlenmeyi de hak ettiğimizi sanmıyorum, eğer bu bir lanetse. Ne olursa olsun – bunların başımıza neden geldiğini anlamaya çalışmanın bir faydası yok. Oturup tartışmak ya da düşünmek olayların gidişini değiştirmeye yetmiyor. Angus bu konuda başka şeyler de düşünüyor, ama herhalde sana kendisi anlatmak ister. İşte! Çocuklar da gölden çıkmış geliyorlar."

Winnie aşağıda gülüşmeler duydu, bir saniye sonra Miles ve Jesse tavan arasına çıkmaya başladılar.

"Aman Tanrım," dedi Mae telaşla. "Gözlerini kapa kızım. Çocuklar? Bu yaptığınız doğru mu? Yüzerken bir şey var mıydı, üzerinizde bakalım? Winnie yukarıda, duyuyor musunuz?"

"Tanrı aşkına, Anne," dedi Jesse başını merdiven boşluğundan uzatarak. "Winnie Foster evdeyken ortada çırılçıplak dolaşacağımızı düşünmüyorsun herhalde."

Miles da arkasından söze karıştı: "Göle giysilerimizle atladık, Anne. Çok sıcaktı ve üstümüzü çıkaramayacak kadar yorgunduk."

Gerçekten de öyleydi. Islak elbiseleri vücutlarına yapışmış, ayaklarının dibinde birer su birikintisiyle yan yana öylece ayakta duruyorlardı.

"Tamam," dedi Mae rahatlayarak. "Tamam. Gidip üzerinize kuru bir şeyler giyin. Babanız birazdan yemeği hazırlayacak." Sonra çabucak Winnie'yi aşağı indirdi.

XI

Gözleme, pastırma, ekmek ve elma marmeladından oluşan güzel bir akşam yemeği yediler, ama masanın başında değil de odanın içinde oraya buraya oturarak. Winnie daha önce hiç bu şekilde yemek yemediğinden ne gibi kuralları olduğunu görmek için onları dikkatle izledi. Ama hallerine bakılırsa hiçbir kural yoktu. Jesse yere oturdu ve bir sandalyeyi masa olarak kullandı, ama diğerleri tabaklarını kucaklarına aldılar. Hiç peçete yoktu. O yüzden parmaklarına bulaşan marmeladı diliyle yalamasının bir sakıncası da yoktu. Winnie böyle bir şeyi evde asla yapamazdı, ama hep en kolay yolun bu olduğunu düşünmüştü. Ansızın yemek ona çok zevkli gelmeye başladı.

Birkaç dakika sonra en azından bir kural olduğunu anladı: Yemek yerken kesinlikle hiçbiri konuşmuyordu. Tuckların dördü de tüm dikkatlerini yaptıkları işe vermişlerdi. Bu sessizlikte düşünme fırsatı bulan Winnie ne kadar mutlu olduğunun farkına vardı ve pervasız sevinci bir anda sönüverdi.

Hem herkesin hem de hiç kimsenin olan dünyaya çıktıklarında daha farklı görünmüşlerdi gözüne. Burada her şey yalnızca onlarındı, her şey onların istediği gibi yapılıyordu. Yemek yemenin ne kadar özel bir şey olduğunu fark ediyordu şimdi, çevrede yabancılar varken yapılabilecek bir şey değildi. Çiğnemek çok özel bir şeydi. Şimdi kendisi yabancıların yanında, tuhaf bir evde ağzındaki lokmayı çiğniyordu. Biraz ürperdi ve kaşlarını çatarak onlara bakmaya başladı. Ona anlattıkları hikâye – tanrım, hepsi çıldırmış, diye düşündü acımasızca, ayrıca hepsi de suç işlediler. Onu kaçırmışlardı, hem de kendi korusunun içinden; şimdi de hiçbir şey olmamış gibi mışıl mışıl uyumasını istiyorlardı –bütün gece– hem de bu kirli ve acayip evde. Hayatı boyunca bir kez olsun bile kendi yatağından başka bir yerde yatmamıştı. Tüm bu düşünceler bir anda zihninin karanlık tarafını doldurup taştı. Çatalını bıraktı ve kararsızca, "Eve gitmek istiyorum," dedi.

Tucklar yemeyi kestiler ve başlarını kaldırıp şaşkınlıkla ona baktılar. Mae yatıştırıcı bir sesle konuşmaya başladı: "Elbette gideceksin yavrum. Bunu istemen çok doğal. Seni eve götüreceğim. Pınardan kimseye neden bahsetmemen gerektiğini iyice anlayınca seni eve götüreceğime söz vermiştim zaten. Seni buraya getirmemizin başka bir nedeni yok. Sadece neden konuşmaman gerektiğini anlamanı istiyoruz."

Sonra Miles konuyu dağıtmak için neşeyle söze girdi: "Çok şirin, eski bir kayığımız var. Yemekten sonra seni biraz gölde gezdiririm."

"Hayır, ben gezdireceğim," dedi Jesse. "İzin verin ben gezdireyim. Onu ilk ben buldum, öyle değil mi Winnie Foster? Bak, sana kurbağaların nerede olduğunu da gösteririm ve..."

"Sus bakalım," diye sözünü kesti Angus. "Hepiniz susun. Winnie'yi göle ben götüreceğim. Ona anlatmam gereken çok şey var ve bunu bir an önce yapmak istiyorum. İçimden bir ses fazla zamanımız olmadığını söylüyor."

Jesse parmaklarını kıvırcık saçlarının içinde gezdirerek güldü. "Çok komiksin baba. Bence zamandan bol bir şey yok bizim için."

Ama Mae kaşlarını çattı. "Endişeli misin, Angus? N'oldu? Gelirken kimse görmedi bizi. A-aa! Dur bir dakika – düşününce aklıma geldi, biri görmüştü. Treegap'ın hemen dışında yolda bir adam vardı. Ama o da bir şey söylemedi."

"O beni tanıyor," dedi Winnie. Sarı elbiseli adamı o da unutmuştu ama şimdi hatırlayınca bir rahatlık geldi üstüne. "Beni gördüğünü babama söyleyecektir."

"Seni tanıyor mu?" dedi Mae, kaşları daha da çatıldı. "Ama ona seslenmedin, çocuğum. Neden seslenmedin?"

"Çok korkmuştum, o yüzden bir şey yapamadım," dedi Winnie dürüstçe.

Angus başını iki yana salladı. "Bir gün çocukları korkutmaya başlayacağımız hiç aklıma gelmemişti," dedi. "Winnie, biliyorum bir faydası yok, ama olanlar için gerçekten çok üzgün olduğumu söylemeliyim. Kimdi seni gören adam?"

"Adını bilmiyorum," dedi Winnie. "Ama iyi bir adama benziyordu." Aslında şu anda fazlasıyla sevimli görünüyordu gözüne, bir kurtarıcı olmuştu adam. Winnie devam etti: "Dün akşam bizim eve gelmişti, ama içeri girmedi."

"Eh, pek önemli görünmüyor baba," dedi Miles. "Yoldan geçen bir yabancıymış, demek ki."

"Her neyse, seni eve götürmeliyiz Winnie," dedi Angus yüzünde kararlı bir ifadeyle ayağa kalkarak. "Seni en hızlı şekilde evine geri götürmeliyiz. İçimden bir ses işlerin pek yolunda gitmeyeceğini söylüyor. Ama önce konuşmalıyız ve bunun için en uygun yer de gölün ortasında. Cevaplar gölde saklı. Gel benimle, yavrum. Gel de gölde devam edelim konuşmaya."

XII

Gökyüzü parlak kırmızı, pembe ve turuncu renklerle bezenmişti ve aksi, dökülmüş boyalar gibi gölün yüzeyinde titreşiyordu. Koyu sarıdan kızıla dönmeye başlayan güneş şimdi daha hızlı alçalıyordu, doğuda gökyüzü koyulaşıp mora dönmüştü bile. Kurtulacağı ümidiyle cesaretlenen Winnie hiç korkmadan kayığa bindi. Düğmeli çizmelerinin sert topukları kayığın ıslak tahtalarına vurunca çıkan ses sıcak ve boğucu sessizlikte yankılandı. Gölün diğer tarafından bir kurbağa sanki uyarmak ister gibi vırakladı. Angus da peşinden kayığa bindi, iskeleyi itti ve kürekleri yerleştirdikten sonra bir hamlede suyun içine daldırdı. Kayık kıyıdan ayrıldı ve sessizce suyun üzerinde kaymaya başladı, uzun su bitkileri hışırtılarla yolundan çekiliyorlardı.

Orada burada suyun sakin yüzeyi dalgalanıyor, parlak halkalar sessizce görünüp kayboluyordu. "Beslenme saati," dedi Angus yumuşak bir sesle. Winnie başını eğip suyun yüzeyine dikkatle baktığında sürüyle minik böceğin yüzeyde uçtuğunu ya da kaydığını gördü. "Balık avlamak için çok uygun bir zaman," dedi Angus "balıklar beslenmek için bu saatlerde yüzeye yaklaşırlar."

Kürekleri yukarı çekti. Kayık yavaşladı ve gölün öbür ucuna doğru tembel tembel sürüklenmeye başladı. Etraf o kadar sessizdi ki kurbağa tekrar vırakladığında Winnie neredeyse olduğu yerde zıplıyordu. Sonra gölü çevreleyen uzun çamlar ve huş ağaçları arasından bir ağaçkakanın öttüğü duyuldu. Kuşun ötüşü çok net ve sevimliydi.

"Çevremizdeki tüm bu şeylerin ne olduğunu biliyor musun, Winnie?" dedi Angus neredeyse fısıltıyla. "Hayat. Hareket eden, büyüyen, gelişen, bir dakika bile değişmeden duramayan hayat. Her sabah baktığın bu gölün suyu hep aynı görünür, ama değildir. Gece boyunca hareket eder, batıdaki şu dereden sürekli su gelir ve doğudaki şu dereden gider, daima sessiz, daima yeni, hiç durmadan hareket eder. Ama göl hep buradadır, su her zaman hareket eder ve önünde sonunda bir gün okyanusa ulaşır."

Bir süre daha gölün yüzeyinde sessizce süzüldüler. Kurbağa yeniden vırakladı; uzaktan, sazların arasında gizli bir yerden başka bir kurbağa ona yanıt verdi. Azalan gün ışığının altında, kıyıdaki ağaçlar yavaşça üç boyutlu hallerini kaybediyor, siyah elişi kâğıdından kesilip solgun gökyüzüne yapıştırılmış gölgelere dönüşüyorlardı. Yakınlarındaki kıyıdan başka bir kurbağanın boğuk sesi duyuldu.

"Sonra ne olur biliyor musun?" dedi Angus. "Suya yani. Güneş bir kısmını okyanustan emer ve yeniden bulutların içine katar, sonra yağmur yağar, yağmur dereye düşer ve dere suyu yeniden göle getirir. Bu bir çarktır, Winnie. Her şey bu çarkın bir parçasıdır; çark hiç durmadan döner. Kurbağalar, böcekler, balıklar bu çarkın bir parçasıdır, ardıç kuşları da öyle. Hatta insanlar da bu çarkın parçasıdır. Ama aynı insanlar değil. Sürekli yenileri gelir, daima büyürler, değişirler, hiç durmadan hareket ederler. İşte böyle olması gerekir. İşte hayat böyle devam eder.

Kayık gölün sonuna kadar sürüklendi, ama yıkılmış bir ağacın çürümüş dallarına takılıp kaldı. Suyun akışı güçlenmişti ve kayığı biraz ilerdeki dereye doğru itiyordu, ama kayık sıkıştığı için gidemiyordu. Sular kayığın iki yanından akıyor, kamışların ve çalıların arasından geçerek dar bir yatağa giriyordu, geniş gölün içindeki sakin yolculuğunun ardından kayaların ve taşların üzerinde hızlanıyor, yüzeyinde köpükler oluşuyordu. Winnie suyun daha ilerde, bir söğüdün sarkmış dalları arasından geçerek bir dirseğe ulaştığını, orada gözden kaybolduğunu görebiliyordu.

"Böyle devam eder gider," diye tekrarladı Angus, "okyanusa ulaşır. Ama işte içinde bulunduğumuz bu kayık sıkıştı kaldı. Eğer biz onu hareket ettirmezsek sonsuza dek burada kalacak; suyla birlikte akmak isteyecek, ama bunu yapamayacak. İşte biz Tucklar da böyleyiz, Winnie. Sıkıştığımız için hareket edemiyoruz. Artık çarkın bir parçası değiliz. Çarkın dışına düştük, Winnie. Terk edildik. Her şey hareket ediyor, büyüyor ve değişiyor. Mesela, sen. Şu anda bir çocuksun, ama bir gün kocaman bir kadın olacaksın. Ondan sonra hareket edecek ve yeni çocuklar için yer açacaksın."

Winnie gözlerini kırptı, Angus'un söylediği şeyi anlayınca ürperdiğini fark etti. Kendisi de –evet, Winnie bile– bu dünyayı terk edecekti, er ya da geç mutlaka olacaktı bu. Gidecekti; bir mumun sönmesi gibi, isyan etmesinin bir faydası yoktu. Bu kesinlikle olacaktı. Bunu düşünmemek için çabalayabilirdi, ama şimdi olduğu gibi, bazen düşünmek zorunda kalacaktı. Direnmeye çalıştı, çaresiz ve umutsuzdu, en sonunda kendini tutamayıp konuştu: "Ölmek istemiyorum."

"Hayır," dedi Angus yatıştırıcı bir sesle. "Şimdi değil. Şimdi ölmeyeceksin. Ama ölmek de çarkın bir parçasıdır, doğmak da. Bir parçayı alıp geri kalanını görmezden gelemezsin. Bütünün bir parçası olmak Tanrının bir lütfudur. Ama biz Tucklar bundan yararlanamıyoruz. Yaşamak zorlu bir iştir, ama bizim gibi olursan aynı zamanda faydasızdır da. Hiçbir anlamı yoktur. Eğer tekrar çarkın bir parçası olmanın yolunu bulsaydım, bir dakika bile beklemezdim. Eğer ölüm yoksa yaşamın ne anlamı var ki? O zaman yaşam olarak adlandıramazsın bile. Biz yalnızca varız, buradayız, yol kenarındaki taşlar gibi."

Angus'un sesi kısılmaya başlamıştı, Winnie kaskatı kesilmiş şaşkın şaşkın onu dinliyordu. Daha önce kimse ona böyle şeyler anlatmamıştı. "Tekrar büyümek isterdim," dedi boğulur gibi "ve yaşlanmak isterdim. Eğer bunun sonunda ölüm varsa onu da isterdim. Dinle beni, Winnie, bu öyle bir şeydir ki çok geç olana kadar kötü yanını hissetmezsin. Eğer insanlar Treegap'daki pınarın varlığını bilselerdi, sinek gibi koşa koşa gelip başına üşüşürlerdi. Sudan biraz içebilmek için birbirlerini çiğnerlerdi. Bu yeterince kötü zaten; peki ya sonra – hayal edebiliyor musun? Çocuk olanlar hep çocuk, yaşlı olanlar hep yaşlı kalırdı. Bunun ne anlama geldiğini anlıyor musun? Sonsuza dek. Çark dönmeye devam edecek, sular okyanusa ulaşacak, ama insanlar hiç değişmeyecek, yol kenarındaki taşlar gibi. Bunu anladıklarındaysa, çoktan iş işten geçmiş olacak." Burada durup Winnie'ye baktı, umutsuzca derdini anlatmaya çalışmanın verdiği ıstırapla yüzü çarpılmıştı. "Anlıyor musun yavrum? Bunun ne anlama geldiğini görebiliyor musun? Ah, ulu Tanrım, sadece anlamanı sağlamaya çalışıyorum!"

Uzun, çok uzun bir sessizlik oldu. Winnie, üst üste gelen tüm bu şeylerin sarsıntısıyla; olduğu yerde büzülmüş, dili tutulmuş, donakalmıştı. Suyun sesi kulaklarında çınlıyordu. Artık siyah ve yumuşaktı su, kayığın kenarlarına çarpıp geçiyor, dereye doğru akıyordu.

Sonra gölün öbür tarafından birinin bağırdığını duydu. Bu Miles'dı, söylediği her sözcük suyun yüzeyinden geçerek kolayca ulaşıyordu onlara. "Baba! Baba, geri dön! Bir şey oldu, baba. At gitmiş. Beni duyuyor musun? Birisi atı çalmış."

XIV

Tuckların yatıp uyumaktan başka yapabilecekleri bir şey yoktu. At hırsızını bulmak için etraf çok karanlıktı, zaten atı ne zaman çaldığını ya da hangi yoldan götürdüğünü bilmiyorlardı.

"Çok fena faka bastık, değil mi baba?" dedi Jesse. "Sen gel, adamın gözünün önünden atını al götür, ruhu bile duymasın. Olacak iş değil doğrusu!"

"Hakkın var," dedi Angus. "Ama asıl sorunumuz bu değil. Sıradan bir hırsız mıydı, yoksa özel bir amaçla mı çaldı atımızı? Bu hiç hoşuma gitmedi. İçimden bir ses işlerin hiç de iyi gitmeyeceğini söylüyor."

"Ne olur sus, Angus," dedi Mae. Eski kanepenin üzerine bir yorgan sererek Winnie'nin yatağını hazırlıyordu. "Ne kadar kuruntulusun böyle. Eğer yapabileceğimiz bir şey yoksa, neden boşuna nefesimizi tüketiyoruz ki? Bu işin acayip olduğunu düşünmek için bir sebep yok. Hadi, şimdi iyi bir uyku çekelim, yarın sakin kafayla ne yapacağımızı düşünürüz. Çocuklar, siz yukarı çıkın ve daha fazla gevezelik etmeyin – bizi de uyutmayacaksınız. Winnie, kızım sen de yat bakalım. Kanepenin üzerinde çok güzel bir yatak hazırladım sana."

Ama Winnie uzun süre uyuyamadı. Kanepenin minderleri yamru yumruydu ve eski gazete gibi kokuyordu; Mae'nin yastık olarak verdiği sandalye minderi sert ve inceydi, yanağını acıtıyordu. Ama en kötüsü gündüz giydiği elbiselerle yatmasıydı, bunun sebebi Mae'nin yedek geceliğini giymeyi kesin olarak reddetmesiydi, eskimiş pazenden kocaman bir çarşaf gibi görünüyordu gecelik. Winnie kendi geceliğini ve kendi yatağını özlüyordu; onlar olmadan kendini korkunç derecede yalnız hissediyordu. O sabah yolda gelirken duyduğu mutluluk tamamıyla uçup gitmişti; o uçsuz bucaksız dünya iyice küçülmüş, eski korkuları ruhunda serbestçe dolaşmaya başlamışlardı. Böyle bir yerde olduğuna inanamıyordu, bu bir rezaletti. Ama yapabileceği bir şey yoktu, hiçbir şeyi kontrol edemiyordu ve kayıkta yaptıkları konuşma onu çok yormuştu.

Doğru muydu? Gerçekten de Tucklar hiç ölmeyecek miydi? Görünüşe göre Winnie'nin inanmayacağı akıllarına bile gelmiyordu. Onlar sadece sırlarının saklanmasını istiyorlardı. Zaten hiç inanmamıştı onlara. Çok saçmaydı. Öyle değil mi? Saçmaydı, değil mi?

Winnie'nin başı dönmeye başladı. Ağlamasını engelleyen tek şey sarı elbiseli adamın onu görmüş olmasının verdiği güvendi. "Şimdiye kadar onlara söylemiştir," diye söylendi kendi kendine. "Saatlerdir beni arıyor olmalılar. Ama nereye bakacaklarını bilmiyorlar ki! Hayır. Adam nereye doğru gittiğimizi gördü. Babam beni bulacaktır. Şu anda beni arıyorlardır."

Yorganı başının üzerine çekmiş kendi kendine bunları tekrarlayıp duruyordu; dışarıda ay yükselmiş, gölün üzerinde gümüşten bir yol oluşturmuştu. Hafif bir sis vardı, hava daha da serinlemişti, kurbağalar keyifle söyleşiyorlardı. Biraz sonra cırcır böcekleri de tiz sesleriyle kurbağaların korosuna katıldılar. Masanın çekmecesinde fareler tıkırdıyor, Mae'nin onlar için çekmeceye koyduğu gözleme artıklarını keyifle yiyorlardı. Duyduğu tüm bu sesler, sonunda Winnie'nin karanlık düşüncelerini dağıttı. Bu gürültülü sessizliği dinlerken biraz rahatladı. Tam uykuya dalacaktı ki Mae'nin kendisine yaklaşan ayak seslerini duydu. "Rahat mısın, yavrum?" diye fısıldadı Mae.

"İyiyim, teşekkür ederim," dedi Winnie.

"Her şey için özür dilerim," dedi Mae. "Seni buraya getirmekten başka bir çözüm yolu gelmedi aklıma. Burada mutlu olmadığını biliyorum, ama... şey... neyse, Angus'la konuşmanız iyi gitti, değil mi?"

"Galiba," dedi Winnie.

"Güzel. Şey. Ben yatmaya gidiyorum. Güzel güzel uyu şimdi."

"Peki," dedi Winnie.

Ama Mae oyalanmaya devam etti. "Çok uzun zamandır yalnızdık," dedi nihayet "galiba misafir ağırlamayı unutmuşuz. Ama, ne olursa olsun burada bizimle birlikte olman çok hoşumuza gidiyor. Umarım sen de..." Elini beceriksizce uzatıp Winnie'nin saçlarını okşadı. "Pekala, iyi geceler."

"İyi geceler," dedi Winnie.

Biraz sonra Angus geldi ve endişeyle üzerine eğildi. Uzun beyaz bir gecelik giymişti ve saçları karma karışıktı. "Ah!" dedi. "Hâlâ uyanık mısın? Rahat değil misin yoksa?"

"Yok, yok iyiyim," dedi Winnie.

"Seni rahatsız etmek istememiştim," dedi. "Ama içerde yatarken düşündüm de, sen uyuyuncaya kadar burada beklesem iyi olacak galiba."

"Bunu yapmana gerek yok," dedi Winnie şaşırmış ve duygulanmış bir halde. "Ben iyiyim."

Angus kararsız görünüyordu. "Peki... ama bir şey istersen seslenirsin, tamam mı? Hemen yandaki odadayım – göz açıp kapayıncaya kadar gelirim." Sonra boğuk bir sesle ekledi: "Bu eve gerçek, büyüyen bir çocuk girmeyeli o kadar uzun zaman oldu ki..." Sesi iyice kısıldı. "Peki. Uyumaya çalış. Sanırım böyle kanepede uyumaya pek alışık değilsin."

"Hayır, iyiyim ben," dedi Winnie.

"Yatak daha iyi değil, yoksa seninle yer değiştirirdim," dedi Angus. Konuşmayı nasıl sona erdireceğini bilemiyormuş gibi görünüyordu. Ama, aniden eğilip Winnie'nin yanağına aceleyle bir öpücük kondurduktan sonra gitti.

Winnie şaşkın şaşkın düşünüyordu. Üzerine titrediklerini fark etmiş ve kafası karışmıştı. Babası gelince Tucklara ne olacağını düşünerek endişelendi. Babası onlara ne yapardı acaba? Kendisine nasıl davrandıklarını, onlara karşı neler hissettiğini asla anlatamazdı babasına. Akşam yemeğini yerken onların suçlu olduğunu düşündüğünü hatırlayarak utandı. İyi, ama gerçekten öyleydiler. Zaten...

Son konuğu iyice kafasının karışmasına neden oldu. Tavan arasına çıkan merdivenlerde bir gıcırtı oldu ve başını çevirdiğinde Jesse'nin kendisine baktığını gördü, solgun ay ışığının altında daha da yakışıklı, daha da hayat dolu görünüyordu. "Hey, Winnie Foster," diye fısıldadı. "Uyuyor musun?"

Winnie bu kez doğrulup oturdu, ansızın utanarak yorganı üzerine çektikten sonra cevap verdi: "Hayır, daha uyumadım."

"Tamam, dinle beni." Kaküllerini sallayarak yaklaştı ve irileşmiş gözleriyle yanına çömeldi. "Düşünüyordum da. Sırrımızı saklaman gerektiği konusunda babam çok haklı. Bunun nedenini anlamak zor değil. Ama sen pınardan haberdar olduğuna ve hemen yanı başında yaşadığına göre istediğin zaman oraya gidebilirsin. Şey, neden on yedi yaşına, yani benim yaşıma gelinceye kadar beklemiyorsun –hepsi hepsi altı yıl var– o zaman gidip biraz içersin ve seninle birlikte başımızı alır gideriz. Hatta evlenebiliriz bile. Çok hoş olur, öyle değil mi? Birlikte çok eğleniriz, tüm dünyayı dolaşırız, her şeyi görürüz. Dinle; annem, babam ve Miles sahip olduğumuz bu şansın tadını çıkarmayı bilmiyorlar. Hayat eğlenmek içindir Winnie, haksız mıyım? Yaşamanın başka ne amacı olabilir ki? Ben böyle düşünüyorum. Sen ve ben, birlikte iyi zaman geçirebiliriz, sonsuza kadar. Sence de iyi olmaz mı?"

Ay ışığının altında yanına çömelmiş dururken Winnie bir kez daha hayran oldu ona. Hayır, bu çocuk çıldırmış olamazdı. O sadece – büyüleyiciydi. Ama Winnie'nin dili tutulmuştu. Tek yapabildiği gözlerini ona dikip bakmak oldu.

"Bunu düşün, Winnie Foster," diye heyecanla fısıldadı Jesse. "Bunu iyi düşün ve karar vermek için acele etme. Her neyse. Sabah görüşürüz. Tamam mı?"

"Tamam," diye zorlukla fısıldadı Winnie. Jesse ayak parmaklarının ucunda yürüyerek gıcırdayan merdivenlere geri döndü, ama Winnie, gözleri kocaman açılmış ve yanakları ateş gibi yanarak oturduğu yerde donup kaldı. Onun bu olağanüstü önerisini düşünmeye takati kalmamıştı, iyi düşünemiyordu. Çünkü neye inanacağını bilemiyordu. Nihayet tekrar yatağına uzandı, yarım saat kadar ay ışığını izledikten sonra uykuya daldı.

XV

Treegap'da aynı ay ışığı, "bana dokunma" der gibi duran evin çatısını gümüş rengine boyamıştı, ama içeride lambalar yanıyordu. "Doğru söylüyorum," dedi sarı elbiseli adam. "Onun nerede olduğunu biliyorum." Fosterların tertemiz oturma odasındaki sandalyesine tekrar oturdu, uzun ince bacaklarını üst üste attı ve havadaki ayağını sinirli sinirli sallamaya başladı. Şapkasını dizinin üzerine kapattı, gülümserken gözleri iki çizgiye dönüşmüştü. "Onları izledim. Kızınız şimdi onlarla beraber. Onları saklanma yerlerine kadar takip ettikten sonra geri dönüp doğruca buraya geldim. Sizin uyanık olacağınızı tahmin etmiştim. Bütün gün onu aradınız sanırım. Sizin için gerçekten zor olmalı."

Onların söylediklerini hiç dinlemeden elini kaldırdı ve seyrek sakalını düzeltmeye başladı. "Biliyor musunuz?" dedi kibarca, "Sizinki gibi bir koru bulabilmek için çok uzun bir yoldan geldim. Onu almak benim için çok önemli. Sizin gibi komşularım olması da çok hoşuma gidecek. Merak etmeyin çok fazla ağaç kesmeyeceğim. Ben barbar bir insan değilim, göreceksiniz. Sadece birkaç ağaç. Farkı anlamayacaksınız bile, emin olun." Uzun beyaz parmaklarını havada sallayarak gülümserken, yüzü mutlulukla kırıştı. "İyi dostlar olacağımızdan hiç kuşkum yok. Onun bir zarar görmeden eve gelmesi sizi çok rahatlatacak, öyle değil mi?" Önce dudaklarını ya ldı, sonra kaşlarını çattı. "Çocuk kaçırmak çok korkunç bir suç. Şansınız varmış ki, ben onları gördüm. Ben olmasam, onu kimlerin kaçırdığından haberiniz bile olmayacaktı. Onu kaçıranlar kaba saba çiftçiler. O cahil insanların ne yapacağı hiç belli olmaz. Evet," içini çekti, kaşlarını kaldırarak yeniden gülümsedi "duruma bakılırsa, bu dünyada onu bulabilecek tek kişi benim."

Sarı elbiseli adam öne doğru biraz eğildi. Uzun yüzü ciddi bir ifadeyle gerildi. "Şimdi, sizin gibi anlayışlı insanlara her şeyi tek tek anlatmaya gerek olduğunu sanmıyorum. Bazen öyle insanlara denk gelirsiniz ki, sorunları nasıl aşacaklarını bilemediklerinden işleri hep zorlaştırırlar. Ama siz, size durumu inceden inceye açıklamaya gerek yok. Sizin istediğiniz şey bende, benim istediğim şey de sizde. Ben olmadan da çocuğu bulma ihtimaliniz var tabii, ama... onu zamanında bulamayabilirsiniz. Bu durumda, ben koruyu istiyorum siz de çocuğu istiyorsunuz. Buna ticaret denir. Basit, dürüst ticaret."

Karşısında hayretle kendisini izleyen üç kişinin yüzlerine, sanki başlarını sallayıp evet demişler gibi baktı ve sevinçle gülümseyerek ellerini ovuşturdu. "Tamam, anlaştık," dedi. "Biliyordum zaten, kendi kendime dedim ki, 'İşte karşımda aklı başında, mantıklı insanlar var!' İnsanlar hakkında çok ender yanılırım. Genellikle beni hayal kırıklığına uğratmazlar. Evet, ne duruyoruz? Tek yapmanız gereken bunu kâğıda dökmek ve koruyu bana sattığınıza dair hazırladığımız belgeyi imzalamak. Her şeyin yasal ve kurallara uygun olarak yapılması en iyisi, sizce de öyle değil mi? Geri kalanı çok kolay. Hemen hallederiz. Çıkıp şerifin ofisini ziyaret edeceğiz, şerif ve ben gidip çocuğu ve suçluları getireceğiz. Hayır –ah, hayır Bay Foster– endişenizi anlıyorum, ama siz gelmemelisiniz. İşleri benim tarzımla halletmeliyiz. İşte böyle! Başınıza gelen bu korkunç olay neredeyse sona erdi sayılır. Burada olduğum ve size yardım edebildiğim için ne kadar mutlu olduğumu anlatamam!"

XVI

Şerif şişman ve hantal bir adamdı. Konuşurken boğazından hırıltılar yükseliyordu. Yine de, sarı elbiseli adamla birlikte yola çıktıklarından beri hiç durmadan konuşuyordu. "Bütün gün kızgın güneşin altında çocuğu aradıktan sonra gecenin bir vakti gelip beni uyandırıyorlar ve şimdi sen de sabaha kadar beni koşturmayı düşünüyorsun, galiba," dedi ters ters. "Atımın o kadar güçlü olduğunu söyleyemem doğrusu. Onu çok hızlı sürmemem gerekir, bu yüzden fazla hızlı gidemeyeceğiz. Keşke yola çıkmak için şafağın sökmesini bekleseydik."

Sarı elbiseli adam her zamanki gibi çok kibardı. "Fosterlar dün sabahtan beri bekliyorlar," diye hatırlattı. "Tahmin edebileceğin gibi, hepsi de çok endişeli. Oraya ne kadar çabuk varırsak Fosterlar da çocuklarına o kadar çabuk kavuşurlar."

"Sen nasıl karıştın bu işe?" diye şüpheyle sordu şerif. "Belki sen de o suçlularla işbirliği yapıyorsundur, değil mi ama? Onun kaçırıldığını gördüğünü söylemiştin, neden o zaman gelip ihbar etmedin."

Sarı elbiseli adam içini çekti. "Ama onu nereye götürdüklerini öğrenmem gerekiyordu," diye sabırla açıkladı. "Nereye götürdüklerini öğrenir öğrenmez geri döndüm. Ayrıca Fosterlar benim dostlarımdır. Korularını bana sattılar, biliyor musun?"

Şerif inanmaz gözlerle baktı. "Aman Tanrım!" dedi. "Sen onları nereden tanıyorsun? Dost düşman hiç kimseye korularını satacaklarını sanmazdım. Buralara yerleşen ilk ailedir onlar. Tavus kuşu gibi kibirlidir hepsi de. Soyadlarıyla ve topraklarıyla gurur duyarlar. Ama sattılar diyorsun ha? Vay vay vay!" Hayretle bir ıslık çaldı.

Bir süre sessiz sedasız at sürdüler, korunun çevresini dolaştılar ve yıldızların altında hafifçe aydınlanmış çayırdan geçtiler. Sonra şerif uzun uzun esneyerek, "Artık ne kadar yolumuz kaldı söyler misin? Daha ne kadar gideceğiz, böyle?" dedi.

"Kuzeye doğru yirmi mil daha," dedi sarı elbiseli adam.

Şerif, "Yirmi mil, ha?" diye homurdandı. Eyere yerleştirdiği tüfeği şöyle bir düzelttikten sonra tekrar homurdandı. "Dağın eteklerinden çıkacağız, demek? Desene daha yolumuz uzun."

Bu kez cevap gelmedi. Şerif parmaklarını tüfeğin parıldayan tetiğinin üzerinde gezdirdi. Sonra omzunu silkti ve eyerin üzerinde biraz öne eğildi. "Neyse, önemli değil," diye hırıltıyla soludu. Birden canlanmıştı. "Daha üç dört saat at süreceğiz."

Hâlâ cevap yoktu.

"Evet, bayım," dedi şerif yeniden. "Çocuk kaçırma olayı bizim buralar için yeni bir şey. Ben işe başladığım günden beri hiç böyle bir şey olmamıştı; eh, on beş yıldır görev başındayım."

Susup sarı elbiseli adamın konuşmasını beklemeye başladı.

"Ciddi olamazsın," dedi adam nihayet.

"Çok ciddiyim, gerçek bu," dedi şerif belirgin bir rahatlamayla. Belki artık yolda giderken gevezelik etme şansını yakalamıştı. "Yaa, dediğim gibi on beş yıl. On beş yıldan beri bir sürü belayla uğraştım, ama böylesini hiç görmemiştim. Dedikleri gibi, her şeyin bir ilki vardır. Yeni bir hapishane yaptırdık, biliyor musun? Bir görsen, çok güzel oldu. Şu bizim suçlular görünce bayılacaklar, sevimli ve tertemiz bir yer." Bunu söyledikten sonra güldü. "Orada çok fazla kalmayacaklar, tabii. Gezici yargıç haftaya gelecek. Herhalde onları Charleyville'deki eyalet hapishanesine gönderir. Ciddi suç işleyenleri oraya gönderiyorlar. Tabii bizde de darağacı var, gerekirse. Ama şimdiye kadar hiç kullanmadık. Bu yüzden ağır suçluları Charleyville'de hallediyorlar işte."

Şerif konuşmaya ara verip bir puro yaktıktan sonra neşeyle devam etti: "Foster arazisinde ne yapmayı düşünüyorsun? Ağaçları kesecek misin? Ev mi yapacaksın oraya, yoksa dükkân falan mı?"

"Hayır," dedi sarı elbiseli adam.

Şerif adamın söze devam etmesini boşuna bekledi. Sarı elbiseli adamın konuşmadığını görünce tekrar keyfi kaçtı. Kaşlarını çatarak purosunun küllerini silkeledi. "Baksana," dedi. "Sen bayağı ağzı sıkı bir herifsin, değil mi?"

Sarı elbiseli adam gözlerini kıstı. Seyrek gri sakalının üzerinde dudağının kenarı huzursuzlukla seğirdi. "Bana bak," dedi sert bir sesle. "Sakıncası yoksa ben önden gideceğim. Çocuk için endişeleniyorum. Oraya nasıl gideceğini sana tarif edeyim, ben de önden gidip çevreyi kolaçan ederim."

"Tamam, öyle olsun," diye homurdandı şerif "o kadar acelen varsa git bakalım. Ama ben gelinceye kadar bir şey yapmaya kalkma. Bu insanlar çok tehlikeli olabilirler. Sana yetişmeye çalışırım, ama söylediğim gibi, atım pek güçlü değil. Baksana sabahtan beri uğraşıyorum, ama bir türlü dört nala gitmiyor."

"Haklısın," dedi sarı elbiseli adam. "Öyleyse ben önden gideyim ve sen gelinceye kadar evin yakınlarında bekleyeyim."

Yolu ayrıntılı olarak tarif ettikten sonra, şişman yaşlı

atın karnına mahmuzlarını batırarak tırısa kaldırdı ve karanlığın içinde kayboldu. İlerideki tepelerin üstünde şafağın ilk ışıkları belli belirsiz görünmeye başlamıştı.

Şerif purosunun izmaritini ağzında ezip tükürdü. "Gördün mü," dedi atına. "Ne biçim bir takım elbisesi vardı, gördün mü? Dedikleri gibi, bu işte türlü türlü adam çıkıyor karşına." Şöyle bir esnedi ve tembel tembel atını sürmeye devam etti, aralarındaki boşluk her dakika daha da artıyordu.

XVII

Sabah olduğunda Winnie Foster yine erkenden uyandı. Gölün çevresindeki ağaçlarda kuşlar hep bir ağızdan yeni gelen günü kutluyorlardı. Winnie yorganın içinden çıkıp pencereye gitti. Suyun üzerini ince bir sis tabakası kaplamıştı ve ışık hâlâ çok solgundu. Her şey o kadar gerçek dışı görünüyordu ki, Winnie saçları darma dağınık ve elbiseleri kırışmış olarak uyanmasının da gerçek dışı olduğunu hisseti. Gözlerini ovuşturdu. Pencerenin altındaki nemli otların arasından ansızın bir kara kurbağası zıplayınca Winnie hevesle baktı. Ama hayır – bu aynı kurbağa değildi tabii. Diğer kurbağayı –şimdi kendini ona o kadar yakın hissediyordu ki, sanki kendi kurbağasıydı– hatırlayınca sanki haftalardır evden uzaktaymış gibi geldi bir an. Sonra tavan arasına çıkan merdivenlerden bir gıcırtı geldi, "Jesse!" diye düşündü. Yanakları alev alev yanmaya başladı.

Ama gelen Miles'dı. Oturma odasına indi ve onun uyanmış olduğunu fark edince gülümseyerek fısıldadı, "Güzel! Uyanmışsın. Hadi gel – kahvaltı için birkaç balık tutmama yardım et."

Bu kez, Winnie kayığa binerken ses çıkarmamaya özen gösterdi. Kayığın arkasına oturdu ve Miles ona iki tane eski kamış olta –"Kancalara dikkat et!" diye uyardı– ve yem olarak da bir kavanoz donmuş domuz yağı verdi. Kürekleri kaldırdıklarında altından büyük bir pervane böceği fırlayıp Winnie'nin yanına kondu sonra da taptaze çiçek kokan gökyüzüne doğru havalandı ve bilinmeyen bir yöne doğru uçtu gitti. Kıyıdan suya bir şey düştü. Bir kurbağa! Winnie kurbağanın bacaklarını gererek kıyıdan uzaklaşmasını izledi. Su o kadar berraktı ki dipte yüzen minicik kahverengi balıkları görebiliyordu.

Miles kayığı kıyıdan uzaklaştırdı ve kürekleri çekmeye başladı, biraz sonra gölün karşı kıyısına, derenin geldiği yöne doğru kayıyorlardı. Kürekler suya dalıp çıkarken ıskarmozlar gıcırdıyordu, ama Miles çok becerikliydi. Bir damla bile su sıçratmadan kürek çekiyordu. Kürekleri kaldırdığında damlayan sular minik halkalar oluşturuyor, arkalarında giderek genişleyen halkalardan bir yol meydana geliyordu. Her yer o kadar sakindi ki. "Bugün beni eve götürecekler," diye düşündü Winnie. Artık bundan kesinlikle emin olmuştu ve neşesi tekrar yerine gelmişti. Evet, kaçırılmıştı, ama kötü bir şey olmamıştı ve şimdi de geri dönüyordu. Dün gece kendisini nasıl ziyaret ettiklerini hatırlayınca gülümsedi – bu tuhaf aileyi sevdiğini fark etti. Onlar dostlarıydı. Yalnızca Winnie'nin dostları.

"Rahat uyudun mu?" dedi Miles.

"İyi uyudum," dedi.

"Güzel. Buna sevindim. Daha önce hiç balığa çıkmış mıydın?"

"Hayır."

"Hoşuna gidecek. Çok eğlencelidir." Miles ona gülümsedi.

Sis kalkmaya başlamış, güneş ağaçların üzerinden çıkarak suyu ışığa boğmuştu. Miles'ın kayığı getirdiği yerde nilüferler yukarı doğru açılmış avuçlar gibi suyun yüzeyinde salınıyordu. "Burada kayığı kendi başına bırakabiliriz," dedi Miles. "Bu sazların ve otların altında alabalık olması gerek. İşte burası – oltaları ver de kancalara yem takayım."

Winnie oturup onun çalışmasını izledi. Yüzü Jesse'ye hem benziyor, hem benzemiyordu. Jesse'nin toparlak yanakları onda yoktu, biraz daha zayıf ve solgundu, saçları da neredeyse düzdü ve kısa kesilmişti. Elleri de farklıydı, parmakları daha kalındı, derisi sert görünüyordu, ama parmak boğumları ve tırnaklarının altı siyahtı. Winnie onun bazen demircilik yaptığını hatırladı, yıpranmış gömleğinin altından belli olan omuzları geniş ve kaslıydı. Sert görünüyordu, bir kürek gibi; oysa Jesse – Jesse'nin su gibi olduğuna karar verdi: ince ve hızlı.

Miles onun kendisini izlediğini fark etmiş görünüyordu. Yem kavanozundan başını kaldırdı ve o da gözlerinde yumuşak bir ifadeyle Winnie'ye baktı. "İki çocuğum olduğunu söylemiştim, hatırlıyor musun?" diye sordu. "Bir tanesi kızdı. Onu da böyle balığa götürürdüm." Yüzü bulutlandı, başını iki yana salladı. "Adı Anna'ydı. Tanrım, ne kadar tatlı bir kızdı o! Eğer hâlâ yaşıyorsa, neredeyse seksen yaşında olduğunu bilmek ne kadar tuhaf. Oğlum da – şimdi seksen iki yaşında olmalı."

Winnie onun genç ve güçlü yüzüne baktı ve sonra dayanamayıp sordu: "Neden onları da pınara götürüp, o özel sudan biraz içirmedin?"

"Tabii ki yapardım ama çiftlikte yaşarken, pınarın bizi bu hale getirdiğini kavrayamamıştık" dedi Miles. "Daha sonra gidip onları bulmak istedim. Ama bulsam ne olacaktı ki, Winnie? Karım o sırada kırk yaşındaydı. Çocuklar – neye yarardı ki? Çocuklar büyümüşlerdi. Eğer pınarın suyundan içerlerse kendi yaşlarında bir babaları olacaktı. Hayır, hayır her şey çok karmaşık ve tuhaf olacaktı, hiçbir işe yaramazdı. Zaten babam da kesinlikle karşı çıktı. Ona bakılırsa pınarı ne kadar az insan bilirse, duyulma ihtimali o kadar az olurmuş. İşte – al bakalım oltanı. Sadece kancayı suyun içine sallandıracaksın. Balık oltayı yuttuğu zaman hissedersin."

Winnie oltayı aldı, kayığın arkasına biraz daha yaklaşarak ucuna yem takılmış kancayı suya daldırdı. Bir yusufçuk, mavi mücevher gibi parlayarak nilüferlerin arasından çıktı, bir an için havada asılı kaldıktan sonra uçup gitti. Yakındaki kıyıdan bir kurbağanın vırakladığını duydular.

"Burada gerçekten çok fazla kurbağa var," dedi Winnie.

"Öyle," dedi Miles. "Kaplumbağalar gelmediği sürece daha da artacak. Bir de büyük balıklar, kurbağayı gördüler mi kaçırmazlar."

Winnie kurbağaların karşı karşıya olduğu bu tehlikeyi düşünerek içini çekti. "Hiçbir şey ölmeseydi ne kadar iyi olurdu."

"Ah, bilemiyorum," dedi Miles. "Düşünsene sayıları ne kadar çok artardı, biz insanlar da öyle çoğalırdık ki, bu dünyada adım atacak yer kalmazdı ve birbirimizi ezmeye başlardık."

Winnie gözlerini misinaya dikerek güzel bir söz bulmaya çalıştı. "Hım," dedi "evet, galiba haklısın."

Ansızın elindeki kamış titredi ve eğilip bükülmeye başladı, ucu neredeyse suyun yüzeyine değiyordu. Winnie şaşırdı, oltaya sıkı sıkı sarıldı.

"Hey!" diye bağırdı Miles. "İşte bak! Bir tane yakaladın. Kahvaltıda taze alabalık yiyeceğiz, Winnie."

Sonra kamış birden düzeldi ve misina serbest kaldı. "Kahretsin," dedi Miles. "Balık kaçtı."

"Aslında buna sevindim," dedi Winnie, kamışı tutan elini biraz gevşetirken. "Balıkları sen yakala Miles. Bunu yapmak istediğimden pek emin değilim."

Bir süre daha suyun üzerinde sürüklendiler. Gök masmavi olmuştu şimdi, sabah sisinin son kalıntıları da yok olmuştu ve ağaçların epey yukarısına kadar tırmanan güneş Winnie'nin sırtını yakmaya başlamıştı. Serin bir gecenin ardından Ağustosun ilk haftası kendini yeniden hatırlatmaya karar vermişti anlaşılan. Yine kavurucu bir gün olacaktı.

Bir sivrisinek gelip Winnie'nin dizine kondu. Miles'ın söylediklerini düşünürken içgüdüsel bir hareketle sineği kovaladı. Eğer sivrisinekler sonsuza dek yaşarsa –bebek yapmaya da devam ederlerse!– hayat ne kadar korkunç olurdu. Tucklar haklıydı. En iyisi sivrisinekler de dahil olmak üzere kimsenin pınardan haberi olmamasıydı. Winnie onların sırrını saklayacaktı. Başını çevirip Miles'a bakarak sordu: "Eğer bu kadar çok zamanın varsa, ne yapmayı düşünüyorsun?"

"Bir gün," dedi Miles, "önemli bir şeyler yapmanın yolunu bulacağım."

Winnie başını salladı, o da aynı şeyi istiyordu.

"Benim bu işe nasıl baktığımı sorarsan," dedi Miles, "babam ve diğerleri gibi saklanıp gizlenmenin iyi bir şey olmadığını söyleyebilirim. Sadece kendi zevkini düşünmenin de iyi bir şey olduğunu sanmıyorum. Eğer insanlar bu dünyada bir yer kaplıyorlarsa faydalı bir şeyler yapmaları gerektiğini düşünüyorum."

"İyi de, ne yapacaksın?" diye tekrarladı Winnie.

"Şu anda bilemiyorum," dedi Miles. "Okula falan da gitmediğim için, işim zor görünüyor." Sonra dişlerini sıkarak ekledi: "Ama mutlaka bir yol bulacağım. Belki bir eser meydana getiririm."

Winnie yine başını salladı. Kayığın kenarından uzandı ve parmaklarını suyun yüzeyindeki bir nilüfer yaprağının üzerinde gezdirdi. Yaprak sıcak ve kuruydu, kâğıt gibi kuruydu, ama tam ortasında tek bir su damlası vardı, yuvarlak ve pürüzsüz. Su damlasına dokundu ve parmağının ucu hafifçe ıslandı; ama su damlası birazcık dalgalanmasına rağmen eskisi gibi yuvarlak ve pürüzsüz kalmaya devam etti.

Sonra Miles bir balık yakaladı. Balık kayığın dibinde çırpınıyor, ağzını oynatıyor, solungaçlarını açıp açıp kapatıyordu. Winnie dizlerini çekip ona bakmaya başladı. Çok güzeldi ve aynı zamanda çok korkunçtu; pırıl pırıl parlayan pulları ve giderek bulanıklaşan mermer gibi gözleri vardı. Kanca balığın üst dudağına takılmıştı, ansızın Winnie ağlamak istedi. "Onu tekrar suya at, Miles," dedi katı ve kısık bir sesle. "Onu hemen suya at."

Miles itiraz edecek oldu, ama Winnie'nin yüzünün halini görünce alabalığı eline aldı ve kancayı dikkatle çıkardı. "Dediğin gibi olsun, Winnie," dedi. Balığı kayığın kenarından tekrar suya attı. Alabalık kuyruğunu ve yüzgeçlerini sallayarak hemen uzaklaştı, nilüferlerin altında kayboldu.

"İyileşecek mi?" diye sorarken kendini hem aptal hem de mutlu hissetti.

"İyileşecek," dedi Miles kendinden emin bir sesle. "İnsanlar zaman zaman et yemelidirler. Doğanın kuralı böyle. Et yemek için de bazı hayvanları öldürmek zorundayız."

"Biliyorum," dedi Winnie ümitsizce. "Ama, yine de."

"Evet," dedi Miles. "Biliyorum."

XVIII

Kahvaltıda yine gözleme vardı, ama kimse şikâyetçi gibi görünmüyordu. "Demek hiç tutamadınız, ha?" dedi Mae.

"Hayır," dedi Miles "getirmek isteyebileceğimiz bir şey tutamadık."

Aslında doğruydu. Miles konuşurken yüzünün kızarmasına rağmen Winnie olan biteni anlatmadığı için ona minnettardı.

"Boş verin canım," dedi Mae. "Herhalde nasıl tutulacağını unuttun. Yarın tutarsın belki."

"Tabii," dedi Miles. "Yarın tutarım."

Jesse'yi tekrar göreceği düşüncesi Winnie'nin karnının kasılmasına neden oluyordu. Mae tabaklara gözleme koyarken Jesse nihayet esneyerek aşağı indi, yanakları kızarmış ve bukleleri karmakarışık olmuştu. "Ah, sonunda kalkabildin," dedi Mae şefkatle. "Neredeyse kahvaltıyı kaçırıyordun. Miles ve Winnie saatlerdir ayaktalar, hatta balığa gidip geldiler."

"Öyle mi?" dedi Jesse, Miles'a bakarak. "Balık nerede peki? Neden tabaklarda yalnızca gözleme var?"

"Şansları yaver gitmemiş," dedi Mae. "Nedense hiç balık tutamamışlar."

"Bence Miles balık tutmasını bilmiyor," dedi Jesse. Kalbi çarparak gözlerini indiren Winnie'ye doğru sırıttı.

"Hiç önemi yok," dedi Mae. "Yiyebileceğimiz bir sürü şey var. Hadi millet, gelin de tabaklarınızı alın."

Dün akşam olduğu gibi herkes odanın içinde bir yer bulup oturdu. Tavanda gölden yansıyan ışıklar dans ediyor, güneş ışınları talaşla kaplı döşemeyi altın sarısına boyuyordu. Mae çevreyi şöyle bir gözden geçirdikten sonra halinden memnun bir tavırla iç çekti.

"Şimdi, çok güzel oldu," dedi çatalını tabağa bırakarak. "Herkes birlikte oturuyor. Winnie de yanımızda – sanki parti veriyormuşuz gibi."

"Öyle zaten," dediler Miles ve Jesse bir ağızdan, Winnie kendini çok mutlu hissetti.

"Ancak, konuşmamız gereken şeyler var," dedi Angus. "Atın çalınması işi başımıza dert açacak. Winnie'yi evine, ait olduğu yere götürmemiz gerekiyor. At olmadan nasıl yapacağız bunu?"

"Kahvaltıdan sonra, Angus," dedi Mae sert bir sesle. "Konuşarak çocukların yemeğini mahvetmeyelim. Kahvaltıdan sonra hallederiz."

Böylece sustular ve yemeye başladılar, Winnie bu kez parmaklarına bulaşan reçeli yalamak için tereddüt etmedi. Dün akşamki yemekte benliğini saran korkular şimdi aptalca görünüyordu. Belki bu insanlar deliydi, ama kesinlikle suçlu değillerdi. Winnie onları sevmişti. Kendisini güvende hissediyordu.

"İyi uyudun mu, yavrum?" diye sordu Angus.

"Çok iyi," diye cevap verirken göl kıyısındaki bu aydınlık, dağınık minicik evde sonsuza dek onlarla beraber yaşamak geçti içinden. Belki onlarla büyüyebilir, pınar hakkında söyledikleri doğruysa – on yedi yaşına gelince de... Jesse'ye baktı. Yere bağdaş kurup oturmuş, kıvırcık saçlı başını tabağına doğru eğmişti. Sonra Miles'a baktı. Sonra da gözleri Angus'a kaydı ve onun üzgün, kırışık yüzünü izledi bir süre. Neden böyle hissettiğini anlayamıyordu, ama aralarında en çok Angus'tan hoşlanmıştı.

Winnie bunu daha fazla düşünme fırsatı bulamadı, çünkü o anda birisi kapıyı çaldı.

Bu o kadar yabancı, o kadar beklenmedik ve şaşırtıcı bir sesti ki Mae çatalını düşürdü. Hepsi birden telaşla başlarını kaldırıp kapıya baktılar. "Kim acaba?" dedi Angus.

"Bilmiyorum," diye fısıldadı Mae. "Buraya geldiğimizden beri hiç kimse kapımızı çalmamıştı."

Kapı tekrar çalındı.

"Ben bakarım, anne," dedi Miles.

"Hayır, olduğun yerde kal," dedi Mae. "Ben açacağım kapıyı." Tabağını dikkatle yere koydu, ayağa kalkıp eteğini düzeltti. Sonra mutfaktan geçerek dış kapıyı açtı.

Winnie dışarıdan gelen sesi hemen tanıdı. Neşeli ve canlı bir sesti. Sarı elbiseli adam. "Günaydın, Bayan Tuck. Siz Bayan Tuck'sınız, öyle değil mi? İçeri girebilir miyim?" diyordu.

XIX

Sarı elbiseli adam aydınlık oturma odasına girdi. Bir an durup çevresini gözden geçirdi, tek tek Mae, Miles, Jesse, Angus ve Winnie'yi inceledi. Yüzünde herhangi bir ifade yoktu, ama bu dümdüz yüzün ardında hoş olmayan bir şeyler sezinledi Winnie, bu öyle bir şeydi ki birden adamdan şüphelenmeye başladı. Yine de adamın sesi gayet sakindi. "Ardık güvendesin, Winifred. Seni eve götürmeye geldim."

"Biz onu kendimiz götürecektik," dedi Angus yavaş yavaş yerinden kalkarken. "Zaten tehlikede değildi."

"Galiba Bay Tuck sizsiniz," dedi sarı elbiseli adam.

Angus soğuk bir sesle, "Ta kendisi," diyerek doğruldu.

"Ayağa kalkmanıza gerek yoktu, buyurun oturun. Siz de Bayan Tuck. Size söyleyecek çok şeyim var, ama bunun için zamanımız çok az."

Mae sallanan sandalyenin ucuna oturdu, Angus da tekrar yerine oturdu ama gözlerini kısmış adama bakıyordu.

Jesse tedirgin bir halde söze girdi: "Sen kim olduğunu sanıyorsun da..."

Angus hemen onu susturdu. "Sus, oğlum. Bırak ne diyecekse desin."

"Bu daha iyi," dedi sarı elbiseli adam. "Mümkün olduğu kadar kısa konuşmaya çalışacağım." Şapkasını çıkarıp şöminenin üzerine koydu, sonra da ayağının ucunu sinirli sinirli yere vurarak onlara döndü. Yüzü dümdüzdü ve hâlâ ifadesizdi. "Ben buranın biraz batısında dünyaya geldim," diye başladı "büyükannemin anlattığı hikâyelerle büyüdüm. Tuhaf, inanılmaz hikâyelerdi bunlar, ama ben inanıyordum. Bu hikâyelerden biri de acayip bir aileye gelin olarak giden, büyükannemin çok sevdiği bir arkadaşı ile ilgiliydi. Büyükannemin arkadaşı evin büyük oğluyla evlenmiş ve iki çocuğu olmuş. Kadıncağız çocuklar doğduktan sonra anlamış bu ailede bir tuhaflık olduğunu. Büyükannemin arkadaşı kocasıyla yirmi yıl birlikte yaşamış ve bu zaman içinde kocası hiç yaşlanmamış. Kadın yaşlanmış, ama kocası hep genç kalmış. Aynı zamanda kocasının annesi, babası ve kardeşi de hiç yaşlanmamışlar. Başka insanlar da bu ailenin tuhaf olduğunu düşünüyorlarmış, sonunda büyükannemin arkadaşı onların cadı, ya da daha korkunç bir şey olduğuna karar vermiş. Kocasını terk etmiş ve çocuklarıyla birlikte büyükannemin yanında kısa bir süre kaldıktan sonra batıya doğru gitmiş. Ona ne olduğunu bilmiyorum. Ama büyükannem o kadının çocuklarıyla oyunlar oynadığını hâlâ hatırlıyor. Çocuklar neredeyse aynı yaştaymış. Bir oğlan, bir de kız."

"Anna!" diye fısıldadı Miles.

Mae sonunda patladı: "Sen bizim acılarımızı tazelemek için mi buraya geldin?"

Angus da sert bir sesle ekledi: "Galiba bir şey söylemek istiyordun, artık konuya gelsen iyi olur."

"Tamam, tamam geliyorum," dedi sarı elbiseli adam. Uzun beyaz parmaklarını yatıştırıcı bir şekilde açtı. "Her neyse. Söylediğim gibi büyükannemin hikâyelerinden çok etkilenmiştim. Asla yaşlanmayan insanlar! Bu çok olağanüstüydü. Bu düşünceyle büyülendim. Hayatımı bunun doğru olup olmadığını, eğer doğruysa neden ve nasıl olduğunu öğrenmeye adadım. Okula gittim, sonra da üniversiteye gittim. Felsefe, metafizik, hatta biraz tıp öğrendim. Ama hiçbiri işime yaramadı. Bazı eski efsaneler dışında hiçbir şey geçmedi elime. Neredeyse vazgeçiyordum. Yaptığım şeyin gülünç olduğunu ve boşa zaman kaybettiğimi düşünmeye başladım. Eve geri döndüm. Büyükannem çok yaşlanmıştı. Bir gün ona bir hediye aldım, bir müzik kutusu. Müzik kutusunu ona verdiğimde bir şey hatırladı. Asla yaşlanmayan o tuhaf ailenin üyelerinden birinin, yani kadının bir müzik kutusu olduğunu hatırladı."

Mae'nin eli eteğinin cebine gitti. Farkında olmadan ağzını açtı, ama sonra hemen kapattı.

"O müzik kutusunun çok ilginç bir melodisi vardı," diye devam etti sarı elbiseli adam. "Büyükannemin arkadaşı ve çocukları –Anna? Kızının adı oydu galiba– bu melodiyi o kadar çok duymuşlardı ki artık ezberlemişlerdi. Bizim evde kaldıkları sırada anneme de öğretmişler. Yıllar sonra annem, büyükannem ve ben oturup bu konuyu konuştuk. Annem kendini zorlayıp melodiyi hatırladı ve bana da öğretti. Bu yirmi yıl önceydi, ama asla unutmadım. Bir ipucu yakalamıştım."

Sarı elbiseli adam kollarını göğsüne kavuşturdu ve olduğu yerde hafifçe sallandı. Çok rahat, neredeyse dostça konuşuyordu. "Bu yirmi yıl boyunca," dedi "başka işlerle uğraştım. Ama o melodiyi ve hiç yaşlanmayan aileyi asla aklımdan çıkaramadım. Rüyalarıma giriyordu. Bu yüzden birkaç ay önce evden ayrıldım ve onları aramaya başladım, çiftliklerinden ayrıldıktan sonra gittikleri söylenen yöne doğru ilerledim. Soru sorduğum hiç kimse bir şey bilmiyordu. Kimse onlardan bahsedildiğini duymamıştı, kimse isimlerini bilmiyordu. Ama iki gün önce müzik kutusunun sesini duydum ve tanıdım; ses Fosterların korusundan geliyordu. Ertesi sabah nihayet o aileyi görebildim, Winifred'i götürüyorlardı. Onları izledim ve hikâyelerinin her kelimesini duydum."

Mae'nin rengi uçmuş, ağzı açık kalmıştı. Angus sert bir sesle konuştu: "Ne yapmayı düşünüyorsun?"

Sarı elbiseli adam gülümsedi. "Fosterlar koruyu bana verdiler, ben de karşılığında Winifred'i eve götüreceğim. Onun nerede olduğunu bilen tek kişi bendim. O yüzden dürüst bir anlaşma yaptık. Evet, sizi izledim Bayan Tuck, sonra da atınızı alıp geri gittim."

Odanın içinde gerilim iyice arttı. Winnie zorlukla nefes aldığını fark etti. Doğruydu, demek! Yoksa karşısında duran bu adam da mı çıldırmıştı?

"Seni at hırsızı!" diye bağırdı Angus. "Konuya gel artık! Ne yapacaksın?"

"Çok basit," dedi sarı elbiseli adam. Bunu söylerken yüzündeki yumuşaklık biraz kayboldu. Boynundan yukarıya doğru yüzü kızarmaya başladı, sesi biraz daha gürleşti ve daha buyurucu bir hal aldı. "Tüm harika şeyler gibi, bu da gayet basit. Koru –ve pınar– artık bana ait." Bir eliyle göğüs cebine pat pat vurdu. "Tapusu burada, imzaları tam ve kesinlikle yasal. Suyu satmayı düşünüyorum."

"Bunu yapamazsın!" diye kükredi Angus. "Aklını mı kaçırdın sen?"

Sarı elbiseli adam kaşlarını çattı. "Ama herkese satmayacağım ki," diye itiraz etti. "Sadece belli insanlara, bu suyu içmeyi hak eden insanlara. Zaten çok, ama çok pahalı olacak. Gerçi, sonsuza dek yaşamak için kim bir servet ödemeyi kabul etmez ki?"

"Ben kabul etmem," dedi Angus umutsuz bir sesle.

"Tabii etmezsin," dedi sarı elbiseli adam. Gözleri parladı. "Senin gibi cahil insanlara asla böyle bir şans verilmemeli zaten. Bu şans... belli insanlara verilmeli. Benim gibi. Yine de sizin elinizden bu şansı almak için çok geç olduğuna göre bana katılmanıza izin verebilirim. Bana pınarın yerini gösterebilir ve pazarlamama yardım edebilirsiniz. Gösteriler düzenleriz. Bilirsiniz – başkaları için ölümcül olan şeyler, size hiçbir zarar vermeyecektir. Çalışmanızın karşılığını kuruşu kuruşuna alacaksınız tabii.

Zaten tanıtım aşaması çok uzun sürmez. Ondan sonra yolunuza gidersiniz. Evet, ne diyorsunuz?"

Jesse donuk bir sesle, "Sen bizi kobay gibi görüyorsun. Bir ilaç reklamı için kullanılacak kobaylar gibi davranmamızı istiyorsun," dedi.

Sarı elbiseli adam kaşlarını kaldırdı ve sesinde sinirli bir sesle cevap verdi: "Eh, bu fikir hoşunuza gitmiyorsa," dedi gözlerini kırparak, "işin içine girmek zorunda değilsiniz. Pınarı kendim bulur ve siz olmadan da suyu satarım. Nezaket gereği size bu teklifi yapmam gerektiğini düşünmüştüm. Ama, siz bilirsiniz." Darmadağınık odanın içinde gözlerini şöyle bir gezdirdikten sonra ekledi: "Teklifimi kabul ederseniz tekrar insanlar gibi yaşayabilirsiniz, domuzlar gibi değil."

O anda ipler koptu. Tuckların dördü birden ayağa fırladı, Winnie korku içinde sandalyesine yapıştı. Angus bağırdı: "Sen delirmişsin! Aklın başında değil! Başkalarının o suyun varlığını öğrenmesine izin veremezsin. Neler olacağını anlamıyor musun?"

"Size bir şans verdim," dedi sarı takım elbiseli adam çatallaşan sesiyle, "ve siz reddettiniz." Winnie'yi kolundan yakaladığı gibi sandalyesinden kaldırdı. "Çocuğu götüreceğim ve işime bakacağım."

Angus'un yüzü dehşetle gerilmişti, sinirden tüm vücudu titriyordu. "Delisin sen!" diye bağırdı. Miles ve Jesse de bağırmaya başladılar. Sarı elbiseli adam Winnie'yi mutfaktan kapıya doğru sürüklerken arkasından gittiler.

"Hayır!" diye bağırdı Winnie, artık ondan nefret ediyordu. "Seninle gelmeyeceğim! Bırak beni!"

Ama adam kapıyı açtı ve Winnie'yi dışarı iteledi. Gözleri birer ateş topuna dönmüş, yüzü çarpılmıştı.

Arkalarındaki bağırış çağırış bir anda kesildi ve sessizliğin içinde Mae'nin katı ve soğuk sesi duyuldu: "Çocuğu bırak."

Winnie başını çevirip baktı. Mae tam kapının önünde

dikilmiş onlara bakıyordu. Elinde, sopa gibi namlusundan tuttuğu Angus'un eski tüfeği vardı.

Sarı elbiseli adamın yüzünde korkunç bir gülümseme belirdi. "Neden bu kadar endişelendiğinizi anlayamıyorum. Gerçekten o pınarın suyunu kendinize saklayabileceğinizi mi sanıyordunuz? Bu kadar bencil olduğunuza inanamıyorum; sadece bencil olsanız yine iyi, aynı zamanda aptalsınız. Benim yakında yapacağım şeyi çok daha önceden siz yapabilirdiniz. Ama, artık çok geç. Winifred sudan biraz içecek ve gösterilerde onu kullanacağım. Hatta daha iyi olacak. Bu tip işlerde çocuklar çok daha ilgi çekicidir. O yüzden artık kendinize gelseniz iyi olur. Beni durdurmak için yapabileceğiniz hiçbir şey yok."

Ama yanılıyordu. Mae tüfeği havaya kaldırdı. Miles arkasından soluk soluğa konuşmaya çalıştı. "Anne! Hayır!"

Ama Mae'nin yüzü kıpkırmızı olmuştu. "Winnie'ye yapamazsın!" dedi dişlerinin arasından. "Winnie'ye bunu yapmana izin veremem. Sırrımızı başkalarına anlatmana da izin vermeyeceğim." Güçlü kollarıyla tüfeği başının üzerine kaldırdı. Sarı elbiseli adam çekilmeye çalıştı, ama artık çok geçti. Tüfeğin kabzası iğrenç bir çatırtıyla adamın ensesine indi. Adam bir ağaç gibi yıkılırken, yüzü şaşkınlıkla gerilmiş, gözleri iri iri açılmıştı. Tam o sırada çam ağaçlarının arasından çıkan Treegap şerifi olanları gördü.

XX

Winnie yanağını Angus'un göğsüne dayamış, kollarıyla ona sıkı sıkı sarılmıştı. Gözlerini sımsıkı yummuş dehşetle titriyordu. Angus'un da nefes nefese olduğunu hissedebiliyordu. Etrafta çıt çıkmıyordu.

Treegap şerifi sarı elbiseli adamın kıvrılmış bedeninin üzerine eğildikten sonra, "Ölmemiş. En azından, şimdilik," dedi.

Winnie gözlerini birazcık açtı. Tüfeğin çimlerin üzerinde, Mae'nin bıraktığı yerde durduğunu görebiliyordu. Mae'nin yanlarına düşmüş, bir kasılıp bir gevşeyen ellerini de görebiliyordu. Güneş her şeyi kavuruyordu, kulağının dibinde bir sineğin vızıltısını duydu.

Şerif ayağa kalktı. "Neden vurdun ona?" diye ürkekçe sordu hırıltılı sesiyle.

"Çocuğu götürmeye çalışıyordu," dedi Mae, sesi donuk ve yorgun çıkmıştı. "Çocuğu isteği dışında götürmeye çalışıyordu."

Bunu duyunca şerif patladı. "Ne demek istiyorsun sen, kadın? Nasıl isteği dışında götürüyor çocuğu? Bunu yapan sizsiniz. Çocuğu kaçırdınız, unuttun mu?"

Winnie Angus'un göğsünden ayrılarak geriye döndü. Titremesi durmuştu. "Onlar beni kaçırmadılar," dedi "gönüllü geldim onlarla."

Arkasında duran Angus'un derin bir nefes aldığını duydu.

"Gönüllü mü?" diye tekrarladı şerif, inanmayan gözlerle bakarak yeniden sordu: "İsteyerek mi geldin, yani?"

"Aynen öyle," dedi Winnie cesurca. "Onlar benim dostlarım."

Şerif gözlerini dikip onu izlemeye başladı. Çenesini kaşıdı, kaşlarını kaldırdı ve nihayet tüfeğinin namlusunu yere indirdi. Sonra dudağını büktü; çimenlerin üzerinde hareketsiz yatan, yüzü ve elleri kızgın güneşin altında bembeyaz görünen sarı elbiseli adama baktı. Adamın gözleri şimdi kapanmıştı, ama artık kuklaya daha çok benziyordu, öyle bir köşeye fırlatılmış, kolları ve bacakları karmakarışık iplerin arasında kıvrılıp kalmış bir kuklaya.

Adamın görüntüsünün sonsuza dek zihnine kazınması için Winnie'nin bir kez bakması yetmişti. Hemen gözlerini çevirdi ve biraz avutulmak istercesine Angus'a baktı. Ama Angus ona bakmıyordu. O da gözlerini dikmiş yerdeki vücuda bakıyordu; hafifçe öne eğilmiş, gözlerini kısmıştı, ağzı hafifçe açıktı. Adamın görüntüsüyle büyülenmiş gibi duruyordu –evet, onu kıskanıyordu– sanki bir ziyafet sofrasına pencerenin dışından bakan aç bir adamdı. Winnie onun bu halini görmeye dayanamadı. Yanına gidip elini uzattı ve ona dokundu, böylece büyü bozuldu. Angus gözlerini kırpıştırdı ve Winnie'nin elini avcunun içine alarak sımsıkı tuttu.

"Her neyse," dedi şerif, artık işine bakması gerektiğini hatırlayarak. "Burada bir suç işlendi. Şu herifi de güneşin altında kızarmadan önce kaldırıp evin içine götürün. Hemen götürün, diyorum. Eğer yapmazsanız hepinizin başı belaya girer. Şimdi, ne yapmamız gerektiğini söyleyeyim. Sen," dedi Mae'yi işaret ederek, "sen benimle geleceksin. Sen ve küçük kız. Seni hapishaneye atacağız, küçük kızı da tekrar evine götüreceğiz. Diğerleri burada yaralı adamla birlikte kalsın. Ona iyi bakın. Bir doktor bulup olabildiğince hızlı bir şekilde geri geleceğim. Keşke yardımcımı getirseydim, ama böyle bir şey olacağını beklemiyordum doğrusu. Ne yazık ki, artık çok geç. Pekala, hadi herkes harekete geçsin."

Miles yumuşak bir sesle, "Anne, seni oradan çıkaracağız, hiç merak etme," dedi.

"Hiç kuşkun olmasın, anne," dedi Jesse.

"Benim için endişelenmeyin," dedi Mae aynı yorgun sesle. "Ben hallederim."

"Halleder misin?" diye bağırdı şerif. "Siz ne tür bir belanın içinde olduğunuzun farkında değilsiniz daha. Eğer bu herif ölürse, bayan, darağacında bulursun kendini. Eğer halletmekle bunu kastediyorsan, ancak böyle hallolur mesele."

Angus'un yüzü kırıştı. "Darağacı mı?" diye fısıldadı. "Asılacak mı?"

"Aynen öyle," dedi şerif. "Kanunlar böyle. Hadi bakalım, gidiyoruz."

Miles ve Jesse sarı elbiseli adamı yerden kaldırdılar ve dikkatle eve taşıdılar, ama Angus sadece baktı, Winnie onun ne düşündüğünü tahmin edebiliyordu. Şerif Winnie'yi atına bindirdi ve Mae'ye de kendi atına binmesini işaret etti. Winnie Angus'tan gözlerini ayıramıyordu. Angus'un yüzü bembeyaz olmuş, kırışıklıkları derinleşmişti; gözlerinin altı çökmüştü ve bakışları anlamsızlaşmıştı. Tekrar fısıldadı: "Darağacı!"

Bunun üzerine Winnie daha önce hiç söylemediği bir şey söyledi; gerçi bu kelimeleri bazen duyar, çoğu zaman da duymak isterdi. Bunları kendisi söyleyince kulağına çok tuhaf geldi ve sırtını biraz dikleştirmesine yol açtı. "Bay Tuck," dedi "endişelenmeyin. Her şey yoluna girecek."

Şerif gözlerini yukarı kaldırarak başını iki yana salladı. Sonra tüfeğini yerine yerleştirdi, Winnie'nin arkasına bindi ve atın başını yola çevirdi. "Sen önden git," diye seslendi Mae'ye. "Gözümün önünde olman gerek. Size gelince," dedi sert bir ifadeyle Angus'a dönerek. "Siz de dua edin şu herif evinizde ölmesin. Ben kısa zamanda geri döneceğim."

"Her şey yoluna girecek," diye yavaş bir sesle tekrarladı Angus.

Mae yanıt vermeden şişman yaşlı atın sırtına bindi. Ama Winnie şerifin önünden geriye uzandı ve Angus'a baktı. "Göreceksin," dedi. Sonra dimdik oturdu ve doğruca önüne bakmaya başladı. İşte sonunda eve dönüyordu, ama artık bunu düşünecek hali kalmamıştı. Önündeki atın gidişini izlemeye başladı, kuyruğunu sallarken kalın, tozlu kılların nasıl iki yana savrulduğuna baktı. Bir de önünde giden kadının sağa sola sallanan iki büklüm olmuş sırtını izliyordu.

Çam ağaçlarının loş gölgelerinden geçerken şerifin hırıltılı nefesini kulağının dibinde duyuyordu, yeşil ve serin ağaçların arasından çıktıklarında Winnie önünde uzanıp giden, olasılıklarla dolu aydınlık, uçsuz bucaksız dünyayı gördü. Ama şimdi olasılıklar daha farklıydı. Artık Winnie'ye ne olacağıyla değil, Winnie'nin ne yapması gerektiğiyle ilgiliydi tüm olasılıklar. Çünkü kesin ve korkunç bir zorunluluk zihninde dönüp duruyordu: Mae Tuck asla darağacına gitmemeliydi. Sarı elbiseli adama ne olursa olsun Mae Tuck asılmamalıydı. Çünkü eğer söyledikleri şeyler doğruysa, Mae katillerin en zalimi olsa, ölümü hak etse bile – Mae Tuck asla ölemezdi.

XXI

Winnie küçük sallanan sandalyeyi yatak odasına götürüp üzerine oturdu. Bu küçük sallanan sandalyeyi ona çok küçükken vermişlerdi, ama hâlâ zaman zaman gidip o sandalyede sallanırdı –kimse bakmıyorken tabii– çünkü sallanmak ona güzel şeyler hatırlatıyordu, sallanırken teselli oluyor, avunuyordu, bu duyguya neden olan şeyin ne olduğunu hiç anlayamamıştı. Ve bu gece biraz avunmaya ihtiyacı vardı.

Şerif onu eve getirmişti. Onu hemen atın üzerinden almışlar, bahçe kapısından içeriye sokmuşlardı. Annesi ağlıyordu, babası kızını göğsüne bastırmış tek kelime etmiyordu, büyükannesi de heyecanla söylenip duruyordu. Şerif kızlarının kendi isteğiyle gitmiş olduğunu söyleyince acı verici bir sessizlik yaşandı, ama ona tekrar kavuşmanın heyecanıyla hemen unutuldu. Elbette böyle bir şeye inanmamışlardı, büyükannesi "Orman perileri götürdü onu. Onların sesini duymuştuk. Torunumu büyülemiş olmalılar," dedi.

Böylece onu kucaklarında eve taşıdılar ve hemen banyoya soktular. Banyodan çıktıktan sonra karnını doyurdular, başını okşadılar, sorularına verdiği cevaplara ise ya güldüler ya da anlaşılmaz şeyler mırıldandılar. Tucklarla birlikte gitmişti, çünkü canı öyle istemişti. Tucklar ona çok iyi davranmışlar, nefis gözlemeler ikram etmişler, hatta balığa bile çıkarmışlardı. Tucklar çok iyi ve çok nazik insanlardı. Ancak, sarı elbiseli adama ne yaptıklarını söyleyince, dostları hakkında yaratmaya çalıştığı olumlu izlenim bir anda silinip gitti. Bu arada, gerçekten de o adama kendisini getirmesi karşılığında koruyu vermişler miydi? Evet vermişlerdi. Neyse, belki de artık koruyu istemezdi. Mae onun kafasına tüfeğin kabzasıyla vurmuştu. Adamın durumu kötüydü. Bunu söylediğinde ailesinin gözlerinde hem dehşet hem de umut parıltıları olduğunu gördü. Babası sözünü kesti: "Sanırım koru tekrar bizim olabilir, yani eğer adam... yani şey..."

"Ölürse, demek istiyorsun," dedi Winnie daha fazla sabredemeyerek. Hepsi birden şaşkınlıkla ona baktılar. Biraz sonra onu öpücüklere boğarak yatağına götürüp yatırdılar. Ama odasından sessizce çıkarken omuzlarının üzerinden endişeyle bakmayı da ihmal etmediler; sanki artık eskisi gibi olmadığını, değiştiğini sezinlemişlerdi. Sanki çocuklarının çok iyi tanıdıkları bir parçası kaybolmuştu.

Evet, diye düşündü Winnie, kollarını pencere pervazına dayayarak, gerçekten de değişmişti. Başına her ne geldiyse, onun başına gelmişti ve ailesini ilgilendirmezdi. Hayatında ilk kez kendini böyle hissediyordu. Zaten ne kadar anlatmaya çabalarsa çabalasın onu anlayamaz, hissettiklerini onunla paylaşamazlardı. Aynı zamanda hem mutluydu hem de yalnızdı. Dışarıdaki alacakaranlığa bakarak sallanmaya devam etti, biraz sonra tamamen gevşemiş ve sakinleşmişti. Bu duygu – bu duygu aralarındaki bağdı; annesini, babasını ve büyükannesini ona bağlayan şey bu duyguydu işte. O kadar sağlam ve o kadar eskiydi ki yıkılmasına imkân yoktu. Ama şimdi yeni bağlar vardı, Tucklarla arasında aynı derecede güçlü, taze ve sağlam bağlar oluşmuştu.

Winnie koruluğun üzerindeki lacivert göğün yavaş yavaş kararmasını izledi. Nemli ağustos gecesini biraz serinletecek küçücük bir esinti bile yoktu. Sonra ağaçların çok ötesinde ufukta beyaz bir şeyin parladığını gördü. Çakan bir şimşek. Bir daha, bir daha çaktı, ama hiç ses çıkmadı. Biraz acı çekmeye benziyor, diye düşündü. Ansızın bir fırtına çıkmasını diledi.

Başını kollarına dayadı ve gözlerini kapadı. Sarı elbiseli adamın görüntüsü geldi gözünün önüne. Güneşten kavrulmuş çimlerin üzerinde kıvrılmış yatan beden yeniden zihninde canlandı. "Ölemez," diye fısıldadı Mae'yi düşünerek. "Ölmemeli." Sonra adamın pınarın suyunu satmayı düşündüğünü ve Angus'un, "Herkes sinek gibi başına üşüşecek," dediğini hatırladı. Yine düşünmeye başladı. "Eğer pınar konusunda anlatılanlar doğruysa ölmesi gerek. Ölmek zorunda. Mae bu yüzden vurdu ona."

Yoldan nal sesleri geldi, bir at dörtnala kasabaya doğru geliyordu, çok geçmeden ayak sesleri duyuldu ve kapı çalındı. Winnie odasından çıktı ve merdiven sahanlığındaki gölgelerin arasına gizlenerek dinlemeye başladı. Gelen şerifti. "İşte böyle, Bay Foster. Küçük kızınız kendi isteğiyle gittiğini söylediği için onlara çocuk kaçırmaktan dava açamayız. Ama yine de elimize düştüler. Doktor birkaç dakika önce geldi. O herif – hani şu toprağınızı sattığınız, vardı ya? O ölmüş." Önce bir sessizlik oldu, ardından bazı mırıltılar duyuldu; bir kibrit yakıldı ve taze puro dumanının ekşi kokusu Winnie'ye kadar geldi. "Eh, bayağı sağlam vurmuş kadın. Adam kendine bile gelemedi. Evet, dava kapandı sayılır, çünkü vurduğunu gördüm. Şahit var, yani. Onun yaptığına hiç şüphe yok. Eminim onu asarlar."

Winnie odasına geri döndü ve yatağına girdi. Odanın karanlığında çenesini yastığa dayayıp pencereden dışarıyı, art arda sessizce çakan şimşekleri izlemeye başladı. Acı çekmeye benziyor, diye düşündü yeniden, göğün derinliklerinde içten içe hissedilen donuk bir acı. Mae sarı elbiseli adamı öldürmüştü. Onu öldürmek istediği için vurmuştu ensesine.

Winnie de bir at sineği öldürmüştü bir zamanlar, korku ve öfke içinde sineği ezmiş, sokulmaktan zor kurtulmuştu. Sineği ağır bir kitapla ezerek öldürmüştü. Sonra parçalanmış bedenini, hareketsiz kanatlarını görmüş ve tekrar canlanmasını dilemişti. Sineğin ölümüne ağlamıştı. Mae de şimdi sarı elbiseli adam için ağlıyor muydu? Adamı öldürmesinin dünyayı kurtarmak gibi önemli bir sebebi olmasına rağmen, onun tekrar canlanmasını ister miydi acaba? Winnie bunu bilemezdi. Ama Mae yapmak zorunda olduğu şeyi yapmıştı. Winnie sessizce çakan şimşekleri görmemek için gözlerini kapadı. Şimdi de kendisinin bir şeyler yapması gerekliydi. Ne yapacağını bilemiyordu, ama bir şeyler yapmalıydı işte. Mae Tuck darağacına gitmemeliydi.

XXII

Sabahleyin Winnie kahvaltısını ettikten sonra doğruca parmaklığa gitti. Hava çok sıcaktı. En ufak bir hareket bile insanı ter içinde bırakıyor, eklemlerinde ağrılar yapıyordu. İki gün önce olsa evin içinde kalması için ısrar ederlerdi, ama bu sabah dikkatli davranıyorlardı; Winnie bir yumurtaymış gibi onu kırmamaya özen gösteriyorlardı. "Ben şimdi dışarı çıkıyorum," demişti ve onlar da "Çık tabii, ama çok sıcaklarsan geri dönersin değil mi tatlım?" demişlerdi. Winnie de "Evet" demişti.

Bahçe kapısın altındaki toprak çatlayıp sertleşmiş, cansız turuncu bir renk almıştı; hemen dışarıdaki yol da parlak bir toz tabakasıyla kaplanmıştı. Winnie parmaklığa yaklaştı, sıcak demirleri tutarken Mae'nin de başka demirlerin arkasında hapishanede neler yaptığını düşündü. Biraz sonra başını kaldırdığında kara kurbağasını gördü. İlk gördüğünde olduğu gibi yolun ortasına çömelmiş duruyordu. "Merhaba!" dedi mutlulukla.

Kurbağa ne kıpırdadı ne de gözünü kırptı. Kurumuş, sıcaktan kavrulmuş gibi görünüyordu. "Susamış olmalı," dedi Winnie kendi kendine. "Böyle bir günde tabii susayacak." Parmaklıktan ayrılıp eve döndü. "Büyükanne, bana bir kap su verir misin? Dışarıda susuzluktan ölmek üzereymiş gibi görünen bir kurbağa var.

"Kurbağa mı?" dedi büyükannesi, tiksintiyle burun kıvırarak. "Kurbağalar çok iğrenç yaratıklardır."

"Bu değil," dedi Winnie. "Hiçbir şey yapmadan öylece yolun üzerinde durur, hem ben onu sevimli buluyorum. Ona biraz içecek su verebilir miyim?"

"Kurbağalar su içmez Winifred. O şekilde susuzluğunu gidermesini sağlayamazsın."

"Hiç su içmezler mi yani?"

"Hayır. Sünger gibi derileriyle çekerler suyu. Yağmur yağdığında."

"Ama hiç yağmur yağmıyor ki?" dedi Winnie telaşla. "Onun üzerine biraz su serpebilirim, öyle değil mi? Herhalde bu bir işe yarar, değil mi?"

"Eh, bence de işe yarayabilir," dedi büyükannesi. "Neredeymiş bakalım bu kurbağa? Bahçede mi?"

"Hayır," dedi Winnie. "Yolun ortasında duruyor."

"Ben de seninle geleyim o zaman. Tek başına bahçeden dışarı çıkmanı istemiyorum."

Winnie küçük kaptaki suyu dökmemek için büyük bir gayret sarf ederek büyükannesi ile birlikte parmaklığa geldiğinde kurbağa gitmişti.

"Merak etme, ona bir şey olmaz," dedi büyükannesi. "Zıplayabiliyorsa sağlığı yerinde demektir."

Winnie biraz hayal kırıklığı biraz rahatlamayla suyu kapının altındaki çatlamış toprağa döktü. Toprak suyu hemen emdi ve üzerinde oluşan ıslak kahverengi leke hızla küçülüp yok oldu.

"Hayatım boyunca böyle sıcak görmedim," dedi Winnie'nin büyükannesi, bir mendille boş yere boynundaki teri silmeye çalışırken. "Daha fazla burada kalmamalısın."

"Birazdan gelirim," dedi Winnie ve bir kez daha yalnız başına kaldı. Çimlerin üzerine oturup için çekti. Mae! Mae'yi kurtarmak için ne yapabilirdi? Güneşe bakarak gözlerini kapadı ve hafifçe başı dönerek göz kapaklarının içinde oluşan kırmızı ve turuncu şekilleri izlemeye başladı.

Sonra sanki bir mucize oldu, Jesse hemen parmaklığın diğer tarafında çömeldiği yerden seslendi: "Winnie! Uyuyor musun?"

"Tanrım, Jesse!" Hemen gözlerini açtı ve onun elini tutmak için parmaklığa uzandı. "Seni gördüğüme çok sevindim! Ne yapabiliriz? Onu nasıl çıkarabiliriz?"

"Miles'ın bir planı var, ama işe yarar mı bilemiyorum," dedi Jesse hızlı hızlı, neredeyse fısıldayarak konuşuyordu. "Biliyorsun, iyi bir marangozdur. Annemin tutulduğu yerin pencere çerçevesini parmaklıkla beraber duvardan sökebileceğini sonra da annemin oradan tırmanıp çıkabileceğini söylüyor. Bugün hava kararınca planı uygulayacağız. Ama bir sorunumuz var, şerif ikide bir gelip onu yokluyor, aptal herif yeni hapishanesine bir suçlu koyduğu için gurur duyuyor. Gidip onu gördük. Sağlığı ve morali iyi. Ama geceleyin pencereden tırmanıp kaçsa bile şerif bir iki dakika sonra tekrar gelir. Onun yokluğunu hemen fark edecektir. Bu yüzden kaçmak için yeterince zamanımız olmayacak. Ama yine de deneyeceğiz. Başka çare yok. Her neyse, sana veda etmeye geldim. Çok uzun bir zaman buraya dönemeyeceğiz, Winnie, yani kaçabilirsek. Biliyorsun, annemin peşine düşeceklerdir. Winnie, şimdi iyi dinle – belki yıllarca seni göremeyeceğim. Bak Winnie – sana pınardan bir şişe su getirdim. Bunu sakla. Sonra da nerede olursan ol, on yedi yaşına gelince içebilirsin. Sonra da gelip bizi bulursun. Bir şekilde senin için izler bırakacağım. Winnie, ne olur gelip beni bulacağını söyle!"

Winnie, avcuna sıkıştırılan küçük şişeyi aldı. "Dur bir dakika Jesse!" diye soluk soluğa fısıldadı, bir anda çözümü bulmuştu. "Size yardım edebilirim! Annen pencereden dışarı çıktığında yerine ben girerim ve onun yerini alırım. Battaniyeyi başımdan yukarı çekerim ve böylece şerif içeriye baktığı zaman onun yokluğunu fark etmez. Zaten karanlık olacaktır. Belimi yukarı kaldırırsam çok daha büyük görünürüm. Miles da pencereyi tekrar yerine koyar. Böylece kaçmak için zaman kazanmış olursunuz. En azından sabaha kadar kimse onun yokluğunu fark etmez!"

Jesse ona doğru eğildi, "Hım, haklısın, işe yarayabilir," dedi. "İşte bu işleri değiştirir. Ama babam seni tehlikeye atmayı kabul eder mi bilemiyorum. Yani, daha sonra seni bulduklarında ne yapacaksın?"

"Bilmiyorum," dedi Winnie "ama bunun bir önemi yok. Ne olur yardım etmek istediğimi babana söyle. Yardım etmek zorundayım. Ben o koruya girmeseydim bunların hiçbiri başınıza gelmeyecekti. Lütfen yardım etmek zorunda olduğumu söyle ona."

"Madem öyle diyorsun, tamam. Hava karardıktan sonra dışarı çıkabilir misin?"

"Evet," dedi Winnie.

"Öyleyse – gece yarısı buluşuruz Winnie. Gece yarısında seni tam burada bekliyeceğim."

"Winifred," diye endişeli bir ses geldi evden. "Kiminle konuşuyorsun, bakalım?"

Winnie ayağa kalktı ve cevap vermek için arkasını döndü. "Sadece bir çocuk, büyükanne. Hemen geliyorum." Geri döndüğünde Jesse gitmişti. Winnie küçük şişeyi elinde sımsıkı tuttu ve nefesini kesen heyecanını bastırmaya çalıştı. Gece yarısı olduğunda dünyayı değiştirecek önemli bir iş yapacaktı.

XXIII

O gün hiç bitmeyecekmiş gibi geldi ona. Hava inanılmaz sıcaktı, olağanüstü sıcaktı; değil hareket etmek, düşünmek için bile sıcaktı. Kırlar, Treegap kasabası, koru – hepsi de sıcağa teslim olmuşlardı. Hiçbir şey hareket etmiyordu. Güneş, kenarları olmayan ağır bir topa dönmüş sessizce kükrüyordu; o kadar parlak, o kadar acımasızdı ki Fosterların oturma odasında, perdelerin çekili olmasına rağmen varlığını hissettiriyordu. Güneşten kaçıp saklanacak hiçbir yer yoktu.

Winnie'nin annesi ve büyükannesi ikindi boyunca oturma odasında sızlanıp durmuşlardı; hiç durmadan yelpazelenmişler, limonata içmişlerdi; ikisinin de saçları darmadağınıktı ve bacakları iki yana açılmıştı. Çok farklı görünüyorlardı, bu kibar hanımların böylesine çöküntüye uğramaları çok ilginçti. Ama Winnie onlarla birlikte oturmadı. Ağzına kadar dolu bardağıyla odasına çıktı ve pencerenin yanındaki sallanan sandalyesinde oturdu. Jesse'nin verdiği şişeyi çekmecelerden birine gizledikten sonra beklemekten başka yapacak bir şey yoktu. Evin girişinde büyükbabasının saati inatla, kimseye aldırmadan tıkırdıyordu. Winnie saatin ritmine uyarak sandalyede sallandığını fark etti – ileri, geri, ileri, geri, tik, tak, tik, tak. Okumaya çalıştı, ama etraf o kadar sessizdi ki bir türlü kendini veremiyordu; bu yüzden akşam yemeği için onu çağırdıklarında çok sevindi. Sonunda yapacak bir şey bulmuştu, ama hiçbiri doğru düzgün yemek yiyemediler.

Yemekten sonra Winnie yine bahçeye çıkıp parmaklıklara yanaştığında, gökyüzünün değiştiğini gördü. Tam olarak bulutlanıyor denemezdi, sanki gökyüzünün berrak mavisi bir anda her taraftan sisle kaplanıyor gibiydi. Güneş ağaçların tepesinden isteksizce batarken, bu sis arttı ve parlak kahverengimsi bir sarıya dönüştü. Işığın yansımasıyla korudaki ağaçların yaprakları gümüşi bir renk aldı.

Hava iyice ağırlaşmıştı. Winnie'nin göğsü sıkışıyor ve nefes alması zorlaşıyordu. Dönüp tekrar eve girdi. "Galiba yağmur yağacak," dedi. Oturma odasında bitkin oturan aile fertleri, bu haberi duyunca minnetle mırıldandılar.

Hepsi erkenden yattılar, ama yatmadan önce evin bütün pencerelerini sıkıca kapattılar. Çünkü dışarıda hava neredeyse kararmıştı, koyu kahverengi-sarı ışık yeryüzündeki son anlarını yaşıyordu ve rüzgâr başlamıştı; bahçe kapısı zaman zaman çarpıyor, korudaki ağaçlar hışırdıyordu. Havada tatlı bir yağmur kokusu vardı. "Ne haftaydı ama!" dedi Winnie'nin büyükannesi. "Tanrıya şükür, artık sonuna geliyoruz." Winnie de, "Evet, artık sonuna geliyoruz," dedi kendi kendine.

Gece yarısına daha üç saat vardı ve yapacak hiçbir iş yoktu. Winnie huzursuzca odanın içinde dolandı, sallanan sandalyede oturdu, yatağa uzandı, girişteki saatin tik taklarını saydı. Hissettiği müthiş heyecanın yanında suçluluk duygusu da vardı içinde. Üç gün gibi kısa bir zaman içinde –gerçi ona hiç de kısa görünmemişti– ikinci kez yapmasının yasak olduğunu çok iyi bildiği bir şey yapacaktı. Şimdi yapacağı şeyin yasak olup olmadığını sormak bile komik kaçıyordu.

Winnie kendini haklı çıkarabilirdi, tabii. Her şey olup

bittikten sonra, "İyi ama bunu yapmamamı hiç söylemediniz ki!" diyebilirdi. Ama gerçekten de ne kadar aptalca bir söz olurdu bu! Elbette yapmaması gerekenler listesine böyle bir şeyi almayacaklardı. Onların parmaklarını havada sallayıp gülümseyerek şöyle dediklerini hayal etti: "Bak Winifred, şunlar kulağına küpe olsun: Tırnaklarını kemirme, başkası konuşurken lafa girme ve gece yarısı suçlularla yer değiştirmek için hapishaneye gitme."

Aslında pek komik bir durum değildi. Şerif onu sabahleyin hücrede bulduğunda ve ikinci kez evine götürmek zorunda kaldığında ne olacaktı peki? Ailesi bu işe ne diyecekti? Ona bir daha güvenecekler miydi? Winnie sallanan sandalyenin üzerinde kıpırdandı ve huzursuzca yutkundu. Evet, onların bir şekilde anlamasını sağlamalıydı, hem de hiçbir şey açıklamadan.

Girişteki saat on biri çaldı. Dışarda rüzgâr durmuştu. Sanki her şey onunla birlikte bekliyordu. Winnie yatağa uzandı ve gözlerini kapadı. Angus ve Mae'yi, Miles ve Jesse'yi düşününce siniri biraz yatışmıştı. Ona ihtiyaçları vardı. Onlara yardım etmek zorundaydı. Komik bir şekilde, ilk aklına gelen şey onların çaresiz olduklarıydı. Belki de insanlara fazla güveniyorlardı. Evet, öyle bir şeyler vardı hallerinde. Ne olursa olsun, ona ihtiyaçları vardı. Onları hayal kırıklığına uğratamazdı. Mae özgür kalacaktı. Kimse bilmemeliydi –Winnie de bilmemeliydi– Mae'nin öle... Winnie sakladığı sırrın gerçek olduğunu kanıtlayacak sahnenin dehşetini zihninden silmeye çalıştı. Onun yerine Jesse'yi düşünmeye başladı. On yedi yaşına geldiğinde – gelecek miydi? Eğer doğruysa, yapacak mıydı? Eğer yaparsa, sonradan pişman olacak mıydı? "Daha sonra ne hissedeceğini, şimdiden bilemeyeceğin bir şey bu," demişti Angus. Ama hayır, doğru olamazdı. Burada yatak odasında beklerken gittikçe daha çok emin oluyordu. Büyük ihtimalle hepsi çıldırmıştı. Ama yine de onları seviyordu. Ona ihtiyaçları vardı. Winnie bunları düşünürken uyuyakaldı.

Bir süre sonra irkilerek uyandı, telaşla doğrulup oturdu. Saat sakince tıkırdıyordu ve içersi kapkaranlıktı. Dışarda, gece ayak parmaklarının ucunda ilerliyor, bekliyor, bekliyor, fırtına beklentisiyle nefesini tutuyor gibiydi. Winnie sessizce girişe süzüldü ve gözlerini kısıp gölgeler içindeki saate baktı. Nihayet görmeyi başardı, çünkü siyah Roma rakamları beyaz zemin üzerinde zorlukla seçiliyordu, buna rağmen akrep ve yelkovan hafifçe parlıyordu. O bakarken yelkovan duyulur bir tıklamayla bir dakika ilerledi. Geç kalmamıştı – gece yarısına beş dakika vardı.

XXIV

Evden çıkmak o kadar kolay oldu ki Winnie hayret etti. Daha merdivenlere ayağını basar basmaz yataklarından fırlayacaklarını ve çevresini sarıp onu azarlayacaklarını sanıyordu. Ama kimse uyanmadı. Eğer isterse onların haberi bile olmadan her gece çıkıp gidebileceği aklından geçti. Bunu düşününce onların güvenlerini daha sonra da kötüye kullanabileceğini fark ederek hiç hissetmediği kadar suçlu hissetti kendini. Ama bu gece, onları son bir kez aldatmak zorundaydı. Başka yolu yoktu. Kapıyı açtı ve bulutlu ağustos gecesine doğru yürüdü.

Evden dışarı çıkmak, gerçekleri bırakıp bir düşe dalmak gibi geldi ona. Vücudu hafiflemişti, bahçe kapısına giden yolu havada süzülen bir tüy gibi geçti. Jesse orada bekliyordu. İkisi de konuşmadılar. Jesse elini tuttu ve koşmaya başladılar, yol boyunca uyuyan öteki evlerin yanından geçerek kasabanın boş ve sessiz meydanına geldiler. Büyük cam pencereler onları umursamayan gözler gibiydi – onları zar zor görüyor, görüntülerini güçlükle yansıtıyorlardı. Demircinin atölyesi, değirmen, kilise, diğer dükkânlar, gün ışığında canlı ve kalabalık olan tüm bu yerler sanki küçülmüşler, amacı ya da anlamı olmayan karanlık yığınlara ve şekillere dönüşmüşlerdi. Sonra Winnie önlerinde duran hapishaneyi gördü, yepyeni tahtaları daha boyanmamıştı, ön taraftaki bir pencereden ışık geliyordu. Hapishanenin hemen arkasındaki avluda ters L şeklinde duran darağaçlarının tepeleri gözüne çarptı.

Karanlık gökte bir ışık patlaması oldu. Ama bu seferki sessizce çakan bir şimşek değildi, çünkü birkaç dakika sonra uzaklardan gelen hafif bir gök gürültüsü nihayet yaklaşan bir fırtınayı müjdeledi. Taze bir esinti Winnie'nin saçlarını hafifçe dalgalandırdı ve kasabanın içinde, arkalarında bir yerlerde bir köpek havladı.

Winnie ve Jesse yaklaşırken karanlığın içinden iki gölge sıyrıldı. Angus onu kendine çekip sımsıkı sarıldı, Miles elini sıktı. Kimse tek kelime etmedi. Sonra dördü birden binanın arkasına geçtiler. Burada epey yüksekteki parmaklıklı bir pencereden öndeki odanın ışığı hafifçe dışarı vuruyordu. Winnie, aralarından loş sarı bir ışık sızan simsiyah demirlere gözlerini kısarak baktı. Bu sırada aklına eski bir şiirin sözleri geldi.

Taş duvarlar değildir zindanı zindan yapan
Ya da demir parmaklıklar kafesi yaratan

Bu dizeler anlamlarını yitirinceye kadar zihninde tekrar tekrar dönüp durdu. Yeni bir şimşek çaktı, gök gürültüsü duyuldu. Fırtına yaklaşıyordu.

Miles bir sandığın üzerine çıktı. Pencere çerçevesinin çevresine yağ döküyordu. Ani bir esintiyle yağın ağır kokusunu duydu Winnie. Angus yukarı bir alet uzattı ve Miles pencere çerçevesini tutan çivileri zorlamaya başladı. Miles marangozluğu iyi biliyordu. Miles bunu başarabilirdi. Winnie aniden ürpererek Jesse'nin elini tuttu. Bir çivi çıktı. Sonra diğeri. Angus yukarı uzanıp tek tek gelen çivileri alıyordu. Dördüncü çivi çıkarken bir gıcırtı oldu ve Miles biraz daha yağ döktü.

Hapishanenin ön tarafında şerif gürültüyle esnedi ve ıslık çalmaya başladı. Islık giderek yaklaştı. Miles pencereden çekildi. Şerifin ayak seslerinin Mae'nin hücresine yaklaştığını duydular. Parmaklıklı kapıda şerifin copunun takırtısı duyuldu. Sonra ayak sesleri uzaklaştı, ıslık sesi azaldı. Bir kapı sürgülendi ve öndeki odadan gelen lamba ışığı kayboldu.

Miles hemen pencereye yaklaştı ve çivileri sökmeye devam etti. Sekizinci çıktı, dokuzuncu, onuncu. Winnie dikkatle sayıyordu, bir yandan sayarken bir yandan da zihni aynı şeyi tekrar ediyordu: "Taş duvarlar değildir zindanı zindan yapan."

Miles çivileri sökmek için kullandığı aleti aşağı uzattı. Parmaklığın demirlerini sıkıca tuttu ve çekmek için hazır bir şekilde beklemeye başladı. "Niçin bekliyor?" diye düşündü Winnie. "Neden hemen..." Sonra – yeni bir şimşek çaktı ve ardından gök gürültüsü duyuldu. Tam gök gürültüsü sırasında Miles tüm gücüyle çerçeveyi çekti. Ama çerçeve yerinden kımıldamadı.

Gök gürültüsü durdu. Winnie'nin kalbi de duracaktı neredeyse. Ya bunu yapmak olanaksızsa? Ya çerçeve hiç çıkmazsa? Ya... Omzunun üzerinden başını çevirip darağaçlarının kara gölgelerine bakarak ürperdi.

Yeniden bir şimşek çaktı ve bu kez bulutlu göğü yerinden oynatan gümbür gümbür bir ses geldi. Miles yine çerçeveye asıldı. Pencere çerçevesi yerinden çıktı ve Miles çerçeveyi demirlerinden tutarak sandıktan aşağı indi. İş bitmişti.

Çerçevesiz pencereden iki kol göründü. Mae! Sonra başı göründü. Yüzünü görmek için etraf çok karanlıktı. Pencere – yoksa onun geçebilmesi için çok mu dardı? Ya... Ama omuzları görünmüştü bile. Mae hafifçe inledi. Yeni bir şimşek bir an için her yanı aydınlatınca Winnie onun dilini hafifçe çıkarmış, kaşlarını çatmış çıkmak için çabalayan yüzünü gördü.

Angus sandığın üzerine çıktı ve omuzlarına tutunmasını sağladı, Miles ve Jesse iki yanda kollarını açmışlar onun gövdesini yakalamaya hazır bekliyorlardı. Kalçaları da çıktı –işte, çıkıyor!– evet geliyordu, eteği tahtaların sivri kısımlarına takıldı, kollarıyla duvarı iterek biraz daha çıktı ve bir an sonra hepsi birden toprağın üzerinde üst üste duruyorlardı. Yeni bir şimşeğin çakması Jesse'nin keyifli kahkahasını bastırdı. Mae özgürdü artık.

Winnie titreyen ellerini mutlulukla birbirine bastırdı. Sonra ilk yağmur damlası tam burunun ucuna düşüverdi. Tucklar toparlandılar ve ona döndüler. Başlayan yağmur altında hepsi tek tek onu kendilerine çekip öptüler. Winnie hepsini tek tek öptü. Mae'nin yüzündeki ıslaklık yağmurdan mıydı? Ya Angus'un yüzündeki? Yoksa gözyaşları mıydı? Jesse en sonuncuydu. Kollarını ona doladı ve sımsıkı sardı, tek bir kelime söyledi fısıltıyla: "Unutma!"

Miles onu kucaklayıp tekrar sandığın üzerine çıktı. Winnie pencerenin kenarına tutundu. Bu kez onunla birlikte bekledi. Yeni bir şimşek çakıp her yanı sarsan bir gök gürültüsü duyulduğunda pencereden girdi ve sağ salim alttaki yatağın üzerine düştü. Yukarıdaki kare şeklinde boşluğa bakınca Miles'ın çerçeveyi yeniden yerine koyduğunu gördü. Yeni bir şimşek yardım etmek istercesine çakınca çerçeve yeniden yerine takıldı. Ondan sonra – Miles çivileri de yerine koyacak mıydı acaba? Winnie bekledi.

Rüzgârla savrulan yağmur damlaları artmıştı şimdi. Bir şimşek çaktı, yukarıdaki pencereden gökyüzünü yaran beyaz bir ışık gördü, hemen arkasından gelen gök gürültüsü küçük hücreyi titretti. Kavrulup çatlayan topraktaki gerginlik artık yoktu, toprak rahatlamıştı. Winnie bunu içinde hissetti. Karnındaki kaslar gevşedi ve birden ne kadar yorgun olduğunu fark etti.

Hâlâ bekliyordu. Miles çivileri yerine koyacak mıydı? Sonunda dayanamadı, yatağın üzerinde ayakucuna yükselerek pencerenin demirlerini yakaladı, kendini yukarı çekip dışarıya baktı. Yağmur damlaları yüzüne vuruyordu, yeni bir şimşek çaktı ve bomboş avluyu aydınlattı. Gök gürültüsü duyulmadan önceki kısacık sessizlikte rüzgârın ve yağmurun sesi azaldı ve uzaklarda bir yerde müzik kutusunun o tatlı melodisinin çaldığını duyar gibi oldu. Tucklar –sevgili Tucklar– gitmişlerdi.

XXV

Ağustosun ilk haftası geçeli çok olmuştu. Sonbahara daha birkaç hafta olmasına rağmen artık senenin bitişe doğru bir yay çizdiği duygusu her yanı sarmıştı, çark yeniden dönmeye başlamıştı, şimdilik yavaştı, ama yakında hızlanacak ve hiç bitmeyen turunu tamamlamak için bir kez daha dönecekti. "Bana dokunma" der gibi duran evin bahçesinde parmaklığın ardında dururken Winnie kuşların ötüşündeki değişiklikleri duyabiliyordu. Kuşlar bulutlar halinde çığlık çığlığa korudan yükseliyorlar, sonra tekrar alçalıyor, tekrar yükseliyorlardı. Yolun karşısındaki yabani bitkiler çiçek açmıştı. Hemen kenarda erken kuruyan başka bir çiçek açılıp saçılmış, tüylü tohumları ortaya çıkmıştı. Winnie bakarken bu tohumlardan bir tanesi ani bir esintiyle yerinden koptu ve havada süzülmeye başladı, diğerleri de sanki onun gidişini izler gibi o tarafa doğru eğildiler.

Winnie bağdaş kurup çimlerin üzerine oturdu. Fırtınanın çıktığı ve Mae Tuck'ın kaçtığı gecenin üzerinden iki hafta geçmişti. Mae'yi hiçbir yerde bulamamışlardı. Ne ondan ne de Angus, Miles ve Jesse'den tek bir iz bile yoktu. Winnie buna yürekten sevinmişti. Ne kadar yorgun olduğunu o zaman fark etmişti. Bu iki haftayı endişe ve beklentiyle geçirmişti çünkü.

Belki yüzüncü kez aklından geçirdi olanları: Yatağın içine girdikten biraz sonra şerifin nasıl hücreye geldiğini; yağmurun içeri girmemesi için pencere kanatlarını nasıl kapattığını, sonra Winnie battaniyenin altında derin derin soluyup olabildiğince büyük görünmeye çalışırken nasıl tepesinde dikildiğini; nihayet hücreden çıkıp sabaha kadar gelmediğini.

Ama Winnie uyumaya cesaret edememişti, çünkü uyurken battaniye üzerinden kayabilir ve kim olduğunu –aynı zamanda Tuckların kaçtığını– istemeden belli edebilirdi. Bu yüzden uzandığı yerde kalbi çarparak sabaha kadar gözünü kırpmadan bekledi. Hapishanenin çatısına çarpan yağmur damlalarını, ıslak kereste kokusunu, planlarını gerçekleştirmelerini sağlayan karanlığı, öksürmemeye çalışmanın ne kadar zor olduğunu hayatı boyunca unutmayacaktı. Kesinlikle öksürmemesi gereken bir zamanda öksürmek istemişti ve neredeyse bir saat boyunca boğazına düğümlenip kalan öksürüğü geri itebilmek için uğraşmıştı. Bir ara dışarıdan gelen bir çatırtı yüzünden neredeyse kalbi duracaktı, başını çıkarıp bakamadı bile, sabahleyin eve giderken darağaçlarının fırtınada devrildiğini görene kadar da o çatırtının sebebini anlayamadı.

Aman Tanrım! – şerif onu bulduğunda adamın yüzünün aldığı hali hatırlarken hâlâ ürperiyordu. Hücrenin önünde telaşlı adımlar duymuş, taze kahve kokusu almıştı; neler olduğunu anlayarak hemen doğrulup oturdu. Sonra iç kapı açılmış –şimdi bu kapının hücrelerle şerifin ofisini ayırdığını görebiliyordu– ofisten gelen ışığın içinde elinde kahvaltı tepsisiyle şerif görünmüştü. Neşeyle ıslık çalıyordu. Hücrenin parmaklıklarına yaklaşmış ve içeri bakmıştı. Dudaklarındaki ıslık sanki kaçıp gitmiş de tekrar tutulması gerekiyormuş gibi birden yok olmuştu. Ama yüzündeki bu komik ifade sadece bir an sürmüştü. Sonra adam öfkeden kıpkırmızı kesilmişti.

Winnie gözlerini yere dikmiş yatağın üzerinde otururken kendini çok küçük ve aynı zamanda suçlu hissetmişti. Hemen sonra şerif bağırarak eğer biraz daha büyük olsa onu orada tutacağını söylemişti – çünkü bir suç işlemişti. Suç ortağı olmuştu. Bir katilin kaçmasına yardım etmişti. Aslında o da bir suçluydu artık. Ama yasalar gereği cezalandırılamayacak kadar küçüktü. Lanet olsun ki şansın var, demişti şerif, çünkü bu yaptığından dolayı cezalandırılmalısın.

Sonra anne ve babasının gözetiminde serbest bırakılmıştı. Bu yeni kelimeler, "suç ortağı" ve "gözetim", Winnie'nin kanını dondurmuştu. Önce şaşkınlıkla, sonra ısrarla neden böyle bir şey yaptığını sormuşlardı? Neden? Onların kızı değil miydi? Ona güvenmişlerdi. Onu iyi bir şekilde yetiştirmeye çalışmış, yanlışı ve doğruyu öğretmişlerdi. Hiç anlamıyorlardı. Nihayet annesinin göğsüne kapanıp ağlayarak gerçeği söylemiş, her şeyi tek bir cümleyle açıklamıştı: Tucklar onun dostuydu. Bunu yapmıştı çünkü – her şeye rağmen onları seviyordu.

Ailesi bunu anlamış ve artık güvenlerini yeniden tazelemiş olarak onu alıp götürmüşlerdi. Ailesi kasabadakilere karşı zor durumda kalmıştı, Winnie bunu iyi biliyordu ve bu yüzden acı çekiyordu. Çünkü ailesi çok gururluydu ve Winnie onları utandırmıştı. Ama yine de bu işin bazı kazançları olmuştu, en azından Winnie için. Sonsuza dek bahçeye hapsedilmesine ve annesi ya da büyükannesiyle bile dışarı çıkmasına izin verilmemesine rağmen diğer çocuklar gelip onu bulmuşlar, parmaklığın ardından onunla konuşmuşlardı. Hepsi de yaptığı şeyden çok etkilenmişti. Winnie onlar için bir masal kahramanıydı artık, önceden onun fazla düzenli, fazla titiz; hatta arkadaş olmak için fazla temiz olduğunu düşünürlerdi.

Winnie içini çekerek ayak bileklerinin çevresindeki otlardan birkaç tanesini kopardı. Yakında okul açılacaktı.

Çok da kötü bir şey değildi bu. Aslında morali gayet yerindeydi, bu yıl daha güzel geçecek gibi görünüyordu.

Sonra iki şey oldu. İlk önce kara kurbağası yolun yakın tarafındaki otların arasından çıktı. Hindiba yapraklarının üzerinden zıpladı ve hop diye parmaklığın kenarına geldi. Winnie elini demirlerin arasından uzatsa ona dokunabilirdi. Hemen ardından kocaman kahverengi bir köpek göründü ve sarkık diliyle yoldan onlara doğru yaklaşmaya başladı. Parmaklığın karşısında durdu ve kuyruğunu dostça sallayarak Winnie'ye baktı, ama sonra kurbağayı gördü. Bir anda gözleri parladı ve havlamaya başladı. İleriye doğru atıldı, arka tarafını oynatarak burnunu kurbağaya yaklaştırdı, havlamasından çok eğlendiği anlaşılıyordu.

"Dur!" diye bağırdı Winnie ayağa kalkıp kollarını sallayarak. "Git buradan, köpek! Yapma şunu! Git hadi – hoşt hoşt!"

Köpek durdu. Önce Winnie'nin çılgınca dansına sonra da toprağa iyice yapışıp gözlerini yummuş kurbağaya baktı. Ama, bu kadarı fazlaydı artık. Tekrar havlamaya başladı ve patisini kurbağaya uzattı.

"Hayır!" diye bağırdı Winnie. "Hayır – sakın yapma! Kurbağamı rahat bırak!" İçgüdüsel bir hareketle eğildi, kollarını demirlerin arasından geçirip kurbağayı yakaladığı gibi parmaklığın iç tarafına aldı ve çimlerin üzerine bıraktı.

Aniden midesi bulandı. Köpek inleyerek demirlerin arasından patisini geçirmeye çalışırken Winnie kaskatı kesildi ve çimlerin üzerindeki kurbağaya bakarak ellerini tekrar tekrar eteğine sildi. Sonra kurbağanın da kendini kötü hissetmiş olabileceği aklına gelince mide bulantısı geçti. Tekrar eğilip kurbağanın sırtına dokundu. Derisi hem sert hem yumuşaktı. Ayrıca soğuktu.

Winnie ayağa kalkıp köpeğe baktı. Köpek parmaklığın dışında başını yana eğmiş istekle ona bakıyordu. "O benim kurbağam," dedi Winnie ona. "Onu rahat bıraksan iyi edersin." Sonra ani bir kararla dönüp eve girdi, odasına çıktı ve çekmeceden Jesse'nin verdiği şişeyi çıkardı – içinde pınarın suyu olan şişeyi. Birkaç saniye içinde geri döndü. Kurbağa hâlâ bıraktığı yerde duruyordu ve köpek de parmaklığın dışında bekliyordu. Winnie şişenin tapasını çıkardı ve eğilip o tuhaf suyu yavaşça ve dikkatle kara kurbağasının üzerine döktü.

Köpek bu işlemi izledi, sonra geniş geniş esnedi ve birden sıkıldı. Geriye döndü ve kasabaya doğru yola koyuldu. Winnie kurbağayı eline aldı ve uzun süre avcunda tuttu, içinde en ufak bir bulantı olmadı. Islak sırtı pırıl pırıl parlayan kurbağa sakince avcunun içinde duruyor, zaman zaman gözlerini kırpıyordu.

Küçük şişe artık boşalmıştı. Winnie'nin ayağının dibinde çimenlerin üzerinde duruyordu. Ama Tuckların söylediği doğruysa koruda bol bol su vardı. İstemediği kadar vardı hem de. Gerekirse, yani. On yedi yaşına geldiğinde. Eğer içmeye karar verirse koruda yeterince su vardı. Winnie elinde olmadan gülümsedi. Sonra eğildi, elini demirlerin arasından geçirip kurbağayı serbest bıraktı. "İşte!" dedi. "Artık sonsuza kadar güvendesin."

SONSÖZ

Tabelada TREEGAP'A HOŞ GELDİNİZ yazıyordu, ama burasının gerçekten Treegap olduğuna inanmak çok zordu. Ana cadde fazla değişmemişti ama şimdi ana caddeyi kesen bir sürü yeni cadde vardı. O tozlu yol şimdi asfaltla kaplanmıştı. Tam ortasından kesikli beyaz çizgiler geçiyordu.

Mae ve Angus şişman yaşlı atın çektiği, gıcırdayarak ilerleyen tahta arabanın ön koltuğunda yavaşça Treegap'a girdiler. Her şeyin sürekli değiştiğini görmeye alışkındılar, ama buradaki değişimler şaşırtıcı ve üzücüydü.

"Bak," dedi Angus. "Bak, Mae. Koru şurada değil miydi? Yok artık! Tek bir ağaç bile kalmamış! Onun evi – o da yok olmuş."

Tanıdık bir şey görmek çok zordu, ama eskiden kasabanın dışında olup ve şimdi bir parçası haline gelmiş olan küçük tepeyi görünce nerede olduklarını anlamışlardı. "Evet," dedi Mae "yanılmıyorsam burasıydı. Eh, çok uzun zamandır gelmiyoruz buraya, o yüzden tam olarak emin olamıyorum."

Evin olduğu yerde bir benzin istasyonu vardı şimdi. Yağlı giysileriyle genç bir adam büyük ve paslı, Hudson marka bir otomobilin camlarını siliyordu. Mae ve Angus geçerken genç adam sırıttı ve tekerleği şişirmekte olan Hudson'un şoförüne seslendi: "Şuraya bak. Çiftçiler biraz zaman geçirmek için kasabaya inmişler." İkisi birden güldüler.

Mae ve Tuck asfalt zeminde takırdayan arabalarıyla kasabaya girdiler; önce bazı evleri, sonra da dükkânları ve işyerlerini geçtiler: "Sosisçi, kuru temizlemeci, eczane, büyük bir mağaza, başka bir benzin istasyonu, sevimli bir varendası olan beyaz bir bina, Treegap Oteli – Aile Lokantası, Ucuz Fiyatlar. Ardından postaneyi gördüler. Postanenin yanında hapishane vardı, ama şimdi daha büyüktü, kahverengiye boyanmıştı ve ön tarafında komiserin ofisi vardı. Hapishanenin önünde siyah beyaz bir polis arabası duruyordu. Arabanın tepesinde kırmızı bir lamba ve ön camında böceklerinkine benzer bir radyo anteni vardı.

Mae bir an için hapishaneye baktı, ama hemen başını çevirdi. "Bak orada ne var!" dedi eliyle başka bir yeri göstererek. "Lokantaya benziyor, değil mi? Hadi gidip birer fincan kahve içelim. Tamam mı?"

"Tamam," dedi Angus. "Hem belki bir şeyler öğrenebiliriz."

Girdikleri lokantanın çelik kaplı duvarları pırıl pırıl parlıyordu, içerisi muşamba ve ketçap kokuyordu. Mae ve Angus tezgâh boyunca uzanan döner taburelere oturdular. Garson arkadaki mutfaktan çıktı ve alışkanlıkla onları şöyle bir süzdü. Olumlu bir izlenim edinmişti. Biraz tuhaflardı, belki –özellikle de giysileri– ama dürüst insanlara benziyorlardı. Önlerine birer mönü koydu ve portakal suyu soğutucusuna yaslandı. "Uzaktan mı geliyorsunuz."

"Öyle," dedi Angus. "Sadece geçiyorduk."

"Tamam," dedi garson.

Angus parmaklarıyla mönünün üzerinde trampet çalarak çekingen bir sesle sordu: "Baksana, burada eskiden bir koru yok muydu, kasabanın diğer tarafında?"

"Vardı," dedi garson. "Aşağı yukarı üç sene önce çok

büyük bir fırtına koptu. Ortadaki büyük ağaca yıldırım düştü ve ağaç ortasından ikiye ayrıldı. Ardından yangın çıktı ve her şey yandı. Tüm koru yerle bir oldu. Kalıntıları dozerlerle kaldırdık."

"Öyle mi?" dedi Angus. O ve Mae bakıştılar.

"Kahve, lütfen," dedi Mae. "Sade. İki fincan."

"Tamam," dedi garson. Mönüleri önlerinden aldı, kalın porselen fincanlara kahve doldurup verdi, sonra da tekrar portakal suyu soğutucusuna yaslandı.

Angus kahvesinden bir yudum aldıktan sonra cesaretlenerek, "Orada korunun içinde küçük bir pınar vardı," dedi.

"Hiç duymadım," dedi garson. "Dediğim gibi, dozerlerle her şeyi kaldırdılar."

"Hım," dedi Tuck.

Daha sonra Mae dükkânlarda alışveriş yaparken Angus yürüyerek kasabayı geçti ve küçük tepenin olduğu tarafa gitti. Artık birkaç ev ve bir bakkal vardı tepenin eteklerinde, ama diğer tarafta demir parmaklıklarla çevrili bir mezarlık olduğunu gördü.

Angus'un kalbi çarpmaya başladı. Arabayla gelirken de mezarlığı görmüştü. Mae de görmüştü mezarlığı. Tek kelime etmemişlerdi, ama ikisi de aradıkları cevapların orada olabileceğini biliyorlardı. Tuck yıpranmış ceketini düzeltti. Mezarlığın işlemeli demir kapısını açıp içeri girdi ve otların içinden yükselen mezar taşlarına bakmaya başladı. Sonra mezarlığın uzaktaki köşesinde bir anıt gördü, herhalde bir zamanlar çok gösterişliydi ama şimdi biraz eskiyip gözden düşmüştü. Anıtın üzerinde tek bir kelime vardı: Foster.

Angus yavaşça anıta doğru yürüdü. Yaklaşırken üzerinde isimler yazılı başka levhalar da gördü. Bir aile mezarlığı. Ansızın boğazına bir şey düğümlendi. İşte oradaydı. Orada olmasını istiyordu, ama şimdi orada olduğunu görünce kedere boğulmuştu. Eğildi ve levhanın üzerinde yazanları okudu:

Winifred Foster Jackson
Anısı Kalbimizde Yaşıyor
İyi Eş
İyi Anne
1870-1948

"Tanrım," dedi Angus kendi kendine. "İki yıl. İki yıl önce gitmiş." Ayağa kalkıp çevresine baktı, utanmıştı, boğazını temizledi. Ama çevrede onu görebilecek kimse yoktu. Mezarlıkta ölüm sessizliği vardı. Arkasındaki söğüt ağacının dalına konmuş kırmızı kanatlı siyah bir kuş cıvıldamaya başladı. Angus aceleyle gözlerini sildi. Sonra tekrar ceketini düzeltti ve elini havaya kaldırdı. "Akıllı kız," dedi yüksek sesle. Ardından arkasını dönüp hızlı adımlarla mezarlıktan çıktı.

Treegap'dan ayrılırlarken Mae gözünü yoldan ayırmadan yumuşak bir sesle sordu: "Gitmiş mi?"

Angus başını salladı. "Gitmiş."

Uzun bir sessizliğin ardından Mae tekrar konuştu: "Zavallı Jesse."

"Biliyordu zaten," dedi Angus. "Winnie'nin, gelmeyeceğini anlamıştı. Uzun zamandan beri hepimiz farkındaydık bunun."

"Olsun," dedi Mae. İçin çekti. Sonra oturduğu yerde biraz dikleşti. "Evet, şimdi nereye Angus? Artık buraya gelmemizin bir anlamı kalmadı."

"Çok haklısın," dedi Angus. "Gel şu yoldan gidelim. Son bir kez görelim orayı."

"Tamam," dedi Mae. Sonra elini Angus'un omzuna koyup, "Kurbağaya dikkat et," dedi.

Angus da görmüştü kurbağayı. Atı durdurdu ve arabadan aşağı indi. Kurbağa hiçbir şeyi umursamadan yolun ortasında duruyordu. Yolun diğer tarafından bir kamyonet geçti, kamyonetin rüzgârıyla kurbağa gözlerini kapattı. Ama yine de hareket etmedi. Angus kamyonetin geçmesini bekledi, sonra kurbağayı alıp yolun kenarındaki otların arasına götürdü. "Lanet olası hayvan, sonsuza dek yaşayacağını sanıyor," dedi Mae'ye.

Sonra tekrar hareket ettiler ve Treegap'ı geride bıraktılar; müzik kutusunun kısacık melodisi yeniden çalmaya başladı ve onlarla birlikte yavaş yavaş uzaklaşıp duyulmaz oldu.

Natalie Babbitt

Natalie Babbitt 1932 yılında ABD'de dünyaya geldi. Yayıncılık dünyasına çizer olarak adım atan Babbitt, birçok çocuk kitabı resimledi. Bugüne kadar çocuklar için çok sayıda öykü, şiir ve roman kaleme alan yazarın çalışmaları halen ABD'deki yayın organlarında sürekli yayınlanmaktadır. Çocuk edebiyatının en prestijli ödüllerinden Coldecott Ödülü'ne değer görülen Natalie Babbitt, üç torun sahibidir.